D1598961

Écrire un livre

De la conception à la publication

Données de catalogage avant publication (Canada)

Brousseau, Marilou, 1955-

Écrire un livre : de la conception à la publication

Comprend des réf. bibliogr. et un index

ISBN 2-89436-144-0

1. Art d'écrire – Guides, manuels, etc. 2. Préparation du manuscrit (Auteurs) – Guides, manuels, etc. 3. Édition – Guides, manuels, etc. I. Gratton, Nicole, 1951- . II. Titre.

PN145B76 2005 808'.02 C2005-941646-7

Nous reconnaissons l'aide financière du Gouvernement du Canada par l'entremise du programme d'aide au développement de l'industrie de l'édition (PADIÉ) pour nos activités d'édition.

Nous remercions la Société de Développement des Entreprises Culturelles du Québec (SODEC) pour son appui à notre programme de publication.

Révision linguistique :
Jocelyne Vézina

Infographie :
Caron & Gosselin

Mise en pages :
Composition Monika, Québec

Éditeur :
Éditions Le Dauphin Blanc
C.P. 55, Loretteville, Qc, G2B 3W6
Tél. : (418) 845-4045 – Fax (418) 845-1933
Courriel : *dauphin@mediom.qc.ca*

ISBN 2-89436-144-0

Dépôt légal :
3e trimestre 2005
Bibliothèque nationale du Québec
Bibliothèque nationale du Canada

Imprimé au Canada

Marilou Brousseau et Nicole Gratton

Écrire un livre

De la conception à la publication

Le Dauphin Blanc

Écrire est un acte d'amour.
S'il ne l'est pas, il n'est qu'écriture.

Jean Cocteau

Table des matières

Partie 3

La publication

Remerciements

Nos remerciements sincères vont aux personnes suivantes : Claire Larose, Claude Leclerc et Carole Fortin, ainsi qu'à tous les éditeurs qui, depuis de nombreuses années, croient en notre travail et nous publient en toute confiance.

Introduction

Pourquoi écrire un livre et pour qui ? Où trouver l'inspiration et comment amorcer ce projet qui sommeille en vous ? Comment construire un texte ou des personnages qui toucheront le lecteur ? À quelle maison d'édition s'adresser pour présenter un manuscrit ? Existe-t-il un contrat type d'édition ou est-il préférable de consulter un avocat ? Voilà quelques-unes des nombreuses questions qui jaillissent spontanément à l'esprit d'un écrivain en herbe au moment d'écrire un premier livre.

Parce que nous sommes passionnées d'écriture et que tout projet mérite sa réalisation, nous tenterons, dans un langage simple et accessible, de faciliter votre parcours vers la réalisation de votre objectif. Un jour, qui sait, au détour d'une allée dans un salon du livre ou lors d'un lancement de livre, peut-être croiserons-nous votre route et serons-nous ravies d'être informées de la publication de votre premier livre.

Il y a un commencement à tout. Telle une toile vierge qui n'attend que l'artiste pour s'animer, la feuille blanche n'attend que vos mots pour prendre vie. Qu'il s'agisse d'une autobiographie à laisser à votre famille et à vos descendants, d'un roman d'inspiration pour divertir ou émouvoir, d'un livre pratique pour partager vos connaissances, votre manuscrit a le droit et même le devoir de prendre forme afin de combler vos désirs personnels et de répondre aux besoins de vos futurs lecteurs.

Si la démarche d'écriture vous tente, mais que vous n'osez pas l'entreprendre, les causes peuvent être multiples : la certitude que tout a été écrit sur le sujet choisi, la peur de l'inconnu, le syndrome de la page blanche, le manque de confiance en vos capacités rédactionnelles ou l'ignorance des règles de l'édition. Afin de vaincre ces obstacles, le présent ouvrage vous fournit cinq bonnes raisons pour passer à l'action.

La première : tout est à écrire et réécrire. Même si beaucoup d'ouvrages ont déjà été rédigés sur des sujets qui vous enthousiasment et qu'à votre avis, il n'y a plus rien à ajouter, détrompez-vous. Vous pouvez toujours écrire un livre sur un thème déjà abordé, mais cette fois-ci, avec des mots différents, une touche personnelle, une vision originale et une perception unique. Et puisque toute vérité ou réalité est relative à une époque précise et change au rythme de l'évolution humaine, l'information doit être reformulée à partir d'une approche distincte qui inclut vos connaissances intuitives et intellectuelles, vos expériences pratiques et votre vision unique. Grâce à ce bagage personnel, vous pourrez réinventer ou apporter un nouvel éclairage sur un sujet déjà abordé. N'oubliez pas, il existe des millions de livres sur le thème de l'amour et le sujet n'est pas à la veille d'être épuisé.

La deuxième raison : il est possible de jeter vos idées sur papier même si vous êtes peu familier avec les règles d'écriture. En réalité, ce facteur est minime puisque les ressources nécessaires à la rédaction existent déjà et qu'elles sont facilement accessibles. En effet, les librairies regorgent de livres (grammaires, dictionnaires...) et de CD-ROM pouvant soutenir vos efforts. De plus, des réviseurs sont disponibles pour corriger et polir vos écrits. Ils sauront apporter des suggestions et des rectifications, des retraits ou des ajouts à votre texte. Ayez confiance en eux, ils ont l'œil et la plume alertes. Ces complices d'écriture, compétents en la matière, sont peut-être déjà près de vous (amis, collègues, membres de votre famille) et n'attendent qu'un signe de votre part. Il suffit, bien souvent, de demander leur collaboration pour recevoir aide et soutien. Toutefois, si de telles personnes ne se trouvent pas dans votre entourage, faites appel à des correcteurs professionnels qui réviseront votre texte moyennant une rétribution.

La troisième raison pour passer à l'action : connaître la joie d'être publié. Malgré les nombreux textes qui leur sont soumis chaque semaine, les éditeurs sont toujours à l'affût de la perle rare, c'est-à-dire du manuscrit qui arrive au moment propice (parfait *timing*) pour répondre aux besoins et aux attentes des lecteurs. Même si l'offre est plus grande que la demande, osez quand même soumettre votre travail à une maison d'édition. Ce simple geste peut vous ouvrir les portes d'une nouvelle carrière et vous faire vivre la joie liée à l'accomplissement d'un projet.

La quatrième raison pour agir : envisager de recevoir un revenu supplémentaire annuel, parfois non négligeable, qui découle de la publication d'un livre. Au fait, est-ce possible de vivre d'une carrière d'auteur ? En réalité, rares sont les écrivains qui parviennent à vivre aisément de leur plume, mais certains jouissent de grands succès en librairie et sont à l'aise financièrement. Les auteurs dont les redevances sont nettement insuffisantes pour assurer leur subsistance doivent trouver des moyens connexes de générer des revenus. Grâce à des services dérivés : ateliers, conférences, journées de formation, il est possible d'obtenir une rémunération additionnelle aux droits d'auteur.

La cinquième et dernière bonne raison d'écrire un livre est la possibilité d'en rédiger un deuxième. Après avoir franchi avec succès la publication d'un premier ouvrage, l'écriture d'un second s'insère dans une démarche presque naturelle et se réalise beaucoup plus aisément. Nous sommes là pour en témoigner puisqu'à nous deux, vingt-deux ouvrages ont été rédigés (treize par Nicole et neuf par Marilou). Des témoignages d'auteurs ayant vécu plus d'une fois l'expérience d'être publiés, sont d'ailleurs inclus à la fin de ce volume.

Allez ! N'hésitez pas ! Osez l'aventure de l'écriture. Et si notre expérience personnelle, racontée au terme de chacun des chapitres de ce livre, peut vous inciter à entreprendre une carrière dans le domaine de l'écriture, alors notre but sera atteint.

À noter que l'emploi du masculin est privilégié dans ce livre afin de simplifier le texte.

Partie 1

L'ÉCRITURE

Chapitre 1

Pourquoi écrire ?

Écrire : la seule façon d'émouvoir autrui sans être gêné par un visage.

Jean Rostand

Clarifions d'abord cette question qui nous est souvent posée : « Quelle est la différence entre un auteur et un écrivain ? »

Une boutade circule dans le milieu de l'édition : « *L'auteur* perçoit des droits d'auteur (des redevances) et *l'écrivain* écrit de belles œuvres (sous-entendu : mais ne s'enrichit pas) ». En réalité, l'*auteur* est le créateur d'une œuvre. Selon le terme de la loi sur les droits d'auteur, il assume la paternité d'un texte. Écrire ne représente pas sa profession, mais peut devenir un outil complémentaire à celle-ci.

L'*écrivain* est un artiste de la plume. Il rédige des œuvres aux qualités littéraires. Certes, il est aussi un auteur puisqu'il revendique la paternité de son œuvre. Par contre, *l'auteur*, lui, ne peut se targuer d'être écrivain, car son but premier ne vise pas à séduire par son style.

Indéniablement, *l'auteur* et *l'écrivain* éprouvent le même désir et la même passion : communiquer par écrit leurs connaissances et leurs expériences sur des sujets ou des thèmes précis, mais dans le style qui leur est propre.

Pourquoi écrire ? D'abord pour s'exprimer en toute liberté sur un sujet précis ou un thème inspirant, et pour réfléchir, remodeler sa pensée, mettre de l'ordre dans ses idées. Il existe de nombreux bienfaits à mettre noir sur blanc ce qui nous habite. Pour certains auteurs, écrire est thérapeutique et permet de mieux cerner leur être profond et les émotions liées à des souvenirs occultés. Ce travail d'introspection peut se réaliser par l'écriture d'un journal, d'une lettre, d'un conte ou d'une nouvelle.

Le projet d'écriture de votre livre peut se comparer à un voyage en pays étranger. Même si le plaisir de partir vous habite depuis un certain temps, il est préférable, avant de vous rendre à destination, d'en connaître les us et coutumes et de posséder quelques repères afin de mieux orienter votre parcours.

Dans cet ordre d'idées, faites l'exercice suivant : inscrivez sur une feuille de papier quelle situation ou quel contexte de vie pourraient être déterminants pour que vous osiez vous lancer dans cette aventure. Poursuivez votre réflexion en précisant les conditions idéales qui maintiendraient votre motivation jusqu'à l'achèvement du manuscrit.

La motivation de départ

Différentes sources de motivation sont à la base d'un projet de livre. Elles répondent généralement à une pulsion, à un besoin ou à un désir profond, par exemple :

- pratiquer une forme de créativité ;
- exprimer sa pensée ou ses convictions ;
- partager une passion ;
- transmettre des connaissances ou des expériences ;
- relever un nouveau défi, se surpasser ;
- rechercher la réalisation de soi ;
- réaliser le rêve d'une carrière d'écrivain.

Plus votre motivation est forte, plus votre projet aura des chances de se concrétiser. Une aspiration profonde ne s'estompe pas avec le temps. Si votre stimulation est chancelante ou que vous manquez de conviction, parlez-en à une personne de confiance qui croit en votre potentiel. Ce confident peut être un assistant professionnel (*coach* d'écriture) qui se révélera un complice précieux dans les moments d'incertitude ou de panne d'inspiration.

Maintenir la flamme

Au-delà de la pulsion de départ se cache un motif personnel, une énergie qui alimentera votre volonté d'atteindre votre projet ultime. Ce germe profond, conscient ou inconscient, inconnu ou clairement identifié, est essentiel à tout écrivain en devenir.

Rappelez-vous ceci : posséder des intentions claires génère une force de réalisation plus grande qu'une simple ambition qui ne satisfait que soi-même. Il est donc primordial de sonder son dessein intérieur avant de passer aux actes.

- Est-ce que j'écris un livre pour éblouir mes amis et être enfin reconnu ?
- Est-ce que j'écris un livre pour répondre à mon besoin intérieur de servir par mon talent ?
- Est-ce que j'écris un livre pour me dépasser afin d'actualiser mon potentiel ?
- Est-ce que j'écris un livre pour devenir riche ?

Nous éprouvons tous le souci de plaire aux autres à plus ou moins grande échelle. Certes, espérer toucher le lecteur est humain et compréhensible. Toutefois, lorsque vous rédigez un livre dans le seul but de faire reconnaître votre valeur, vous partez en croisière d'écriture avec une brèche dans la cale de votre bateau. Vous risquez, en cours de route, de couler avec votre projet puisque personne n'est obligé d'adhérer à vos propos ni même d'aimer votre histoire, ce qui, par conséquent, pourrait miner votre estime personnelle peut-être déjà peu élevée.

Par ailleurs, un livre écrit uniquement pour augmenter vos revenus annuels peut entraîner une déception amère, car la réussite commerciale n'est jamais assurée. Cette avenue ne devrait pas représenter le seul et unique mobile de votre projet. Comme le dit si bien Jérôme Hesse : « On n'écrit pas un premier livre, on ne le publie pas pour être reconnu dans la rue, signer des autographes et passer à la caisse. »[1] En revanche, donner vie à votre rêve et mettre votre talent au service des autres sont des idéaux louables qui justifient le temps et le travail à investir.

Tel que mentionné précédemment, puisque la conscience collective est en perpétuelle évolution en raison des

---

1. Hesse, Jérôme. *Comment écrire un livre et être édité*, Éditions Alain Moreau, 1987, p. 121.

expériences et des connaissances de chacun d'entre nous, tous les sujets sont appelés à être constamment revisités. Maintenir la flamme, c'est savoir traverser le temps et réactualiser d'anciens écrits pour les mettre à la portée des gens de notre époque. Nous n'avons qu'à penser à la théorie du *moment présent*, exposée depuis des siècles dans plusieurs traditions spirituelles et par nombre de philosophes et d'auteurs célèbres : saint Augustin, Platon, Newton, Emmanuel Kant, Henri Bergson, Arthur Schopenhauer, William Blake... Et voilà qu'en l'an 2000, Eckhart Tolle[1] reprend ce thème dans un langage clair et simple avec une vision occidentale contemporaine. Ce livre est devenu un succès de librairie (best-seller) et a été traduit en plusieurs langues.

Un thème populaire offre toujours des perspectives différentes. En voici deux autres exemples concrets. D'abord, le thème du *stress*. Nous savons tous qu'un état de tension nerveuse produit les mêmes effets sur nous depuis belle lurette. Pourtant, ce n'est que dans les années 70 que Hans Selye[2] a vulgarisé ce concept afin de le rendre plus accessible au grand public. À partir de cet écrit, d'innombrables livres ont été rédigés sur le sujet, donnant des perspectives toujours plus actuelles et adaptées à nos besoins.

Pensons également à la notion de *résilience*. Cette idée provient de la mécanique, c'est-à-dire de la capacité d'une matière à endurer des chocs extérieurs. Avec le temps et l'évolution, elle s'est adaptée à des principes toujours plus larges telles : l'informatique et l'écologie. Récemment, le concept de résilience fut raffiné par le neurologue, psychiatre, psychanalyste et éthologue, Boris Cyrulnik[3].

---

1. Tolle, Eckhart. *Le pouvoir du moment présent*, Éditions Ariane, 2000.
2. Selye, Hans. *Stress sans détresse*, Éditions La Presse, 1974.
3. Cyrulnik, Boris. *Les vilains petits canards*, Éditions Odile Jacob, 2001.

Aujourd'hui, la résilience effectue une incursion importante dans le monde des entreprises et dans les communautés (groupes, associations, unions). N'allez pas croire que l'idée s'arrête là, qu'elle n'a plus de souffle ou d'avenues exploratoires. Tôt ou tard, un esprit intelligent apportera des éléments susceptibles d'étendre ce concept à d'autres domaines. Tel est le principe de l'incessante évolution.

Ainsi, sur un même thème, un nouveau livre peut s'écrire et même conduire, hypothétiquement, à des filons ou à des interprétations différentes. L'important est de ne jamais considérer un sujet épuisé. Si une matière vous intéresse, interrogez-vous, documentez-vous, explorez ses multiples facettes et osez vous aventurer sur des sentiers nouveaux. Mais soyez crédible en appuyant vos dires par des informations pertinentes, plausibles et vérifiables.

Pour maintenir la flamme durant l'écriture de votre manuscrit, il est essentiel, également, de déterminer le but spécifique de votre sujet. Voici quelques suggestions:

- apporter une lumière nouvelle sur un sujet d'actualité;
- vulgariser certaines découvertes scientifiques;
- livrer des connaissances et une expérience personnelle par souci humanitaire;
- favoriser la résolution des conflits relationnels et intergénérationnels;
- répandre la joie et l'humour à travers les mots;
- devenir une source d'inspiration pour la collectivité;
- conscientiser les gens sur des agissements ou des comportements à risque;
- etc..

L'objectif étant clairement identifié et maintenu, soyez à l'affût de certains pièges qui risquent de saboter l'ensemble de votre projet.

Pièges à éviter : parler prématurément du projet et entretenir des pensées négatives

Tout projet qui en est à ses débuts demeure fragile. Voilà pourquoi il est préférable de le laisser prendre forme avant de divulguer votre intention. Évitez, si possible, d'informer vos proches de votre intention d'écrire un livre, car certaines personnes, même bien intentionnées, risquent, par leurs commentaires parfois négatifs, d'atténuer ou d'anéantir votre première motivation. La règle d'or est de garder votre projet secret tant et aussi longtemps que celui-ci n'a pas atteint sa vitesse de croisière. Les doutes et les limites des autres peuvent miner votre motivation et atténuer votre enthousiasme.

De plus, n'entretenez pas des pensées intérieures improductives du genre : « Je n'y arriverai jamais. Qui voudra de mon manuscrit? Je n'ai pas de talent. » Pour neutraliser ces pensées paralysantes, imaginez le meilleur scénario et améliorez-le chaque fois que vous en avez la chance. Certes, les sentiments de peur, de doute et d'inquiétude sont naturels, mais ils ne doivent pas engendrer des idées obscures pouvant nuire au processus d'écriture.

Conseil : inclure le plaisir

L'écriture de votre manuscrit doit idéalement s'effectuer dans un climat de bien-être et de plaisir. Bien sûr, aborder des thèmes comme la maladie ou des expériences éprouvantes peut déclencher des émotions douloureuses. Il ne s'agit pas d'étouffer ces dernières ou de feindre qu'elles n'existent pas. Accueillez-les et laissez-les s'exprimer, mais uniquement dans un espace sécuritaire. Sinon, mieux vaut consulter un intervenant et être appuyé tout au long de votre démarche d'écriture.

En commençant l'écriture d'un projet, posez-vous certaines questions :

– Quel type d'émotions m'habitent en ce moment ?
– Dans quel état d'esprit vais-je créer aujourd'hui ?
– Avec mon humeur actuelle, quel chapitre ou quel aspect devrais-je aborder ?

Essayez de vous mettre dans la peau d'un enfant qui s'installe devant sa tablette à dessin. Soyez ouvert à toutes les fantaisies au lieu de vous imposer une pression obligeant le mental à produire trop sérieusement. L'inspiration est une grâce intérieure qui se pointe quand le cœur est léger.

Mettez de la joie dans votre rituel d'écriture. Déposez sur votre table de travail une image amusante comme celle de votre héros préféré de bandes dessinées. Ce héros n'a-t-il pas tous les pouvoirs ? Il peut devenir l'inspiration qui vous stimulera, qui vous poussera à être audacieux, qui vous aidera à surmonter le doute et le manque de confiance en plus d'éloigner les petits diables qui tentent de vous troubler.

Voici d'autres moyens de créer une ambiance agréable : écoutez une musique douce ; allumez une bougie ; conviez votre âme d'écrivain à participer à votre travail ; esquissez quelques pas de danse afin de détendre votre corps et de vitaliser votre cerveau ; ouvrez la fenêtre (si le temps le permet) et prenez de profondes respirations pour oxygéner vos poumons. Tel un jeu, la séance d'écriture s'amorcera dans la bonne humeur et la détente.

Expérience de Nicole

Pour mon premier livre, *L'Art de rêver*[1], la motivation est venue de deux sources particulières et à des moments différents. Le premier déclencheur fut une intuition que j'ai eue à l'âge de vingt ans alors que j'étais étudiante dans un cégep de Montréal pour devenir technologue en médecine nucléaire. La petite voix intérieure m'indiquait clairement que j'allais écrire un livre. Quand, comment et pourquoi, je n'en avais aucune idée et de plus, je n'avais aucune attirance pour la littérature. Malgré cela, ce pressentiment fut cependant très présent dans ma conscience.

La seconde motivation a germé quelques années plus tard. L'encouragement provenait des autres, dont certains amis, des participants à mes conférences et plusieurs visiteurs des expositions auxquelles je participais à titre de présentatrice sur le thème des rêves. Ces gens me disaient spontanément que je devais écrire un livre parce que, ne pouvant mémoriser tout ce que je leur disais, ils souhaitaient consulter un volume dans le but de mieux assimiler le sujet présenté.

1. Gratton, Nicole. *L'Art de rêver*, Éditions Stanké (1994), Éditions J'ai lu (1999), Éditions Flammarion Québec (2003).

Ce fut donc à l'âge de quarante ans, après vingt ans en milieu hospitalier que j'ai décidé de consacrer davantage de temps à ma nouvelle carrière avec l'École de Rêves. L'objectif consistait à redonner ce que j'avais reçu. Il s'agissait alors de répertorier les nombreuses connaissances acquises depuis plus de douze ans, de les organiser selon un plan déjà établi et de les livrer sous forme de chapitres. Ce livre voulait démontrer de manière pratique une vérité ancestrale: «la nuit porte conseil». Je me revois, devant mon ordinateur, des idées plein la tête. J'étais extrêmement motivée et résolue à apporter ma contribution dans la compréhension du phénomène des rêves.

Expérience de Marilou

Vers l'âge de sept ou huit ans, j'ai fait un rêve particulier: *Je me baignais dans la rivière Châteauguay lorsque soudain mes yeux se sont posés sur un objet bleu royal reposant dans le fond caillouteux de l'eau. Un livre! On aurait dit qu'il était neuf tellement il semblait en bon état. Comment avait-il pu demeurer intact dans l'eau?* Des années plus tard, j'interprétai ce rêve de la manière suivante: la préservation du volume, malgré son séjour dans un milieu liquide, représentait les histoires que je portais en moi et que rien ne pouvait altérer. Quant à l'eau, elle symbolisait la fécondité, la mère, la gestation. Mon imaginaire, cette source intarissable d'idées, était porteur de messages à approfondir au fil des mois, des années, pour construire de véritables récits à publier un jour. Cette révélation fut ma première motivation même si aucune action précise ne fut prise à cet âge précoce.

Deux autres facteurs déterminants concoururent ensuite à jeter les assises de ma future vie professionnelle. Le premier survint vers l'âge de douze ans. Cette journée-là, il pleuvait et j'étais désœuvrée. Quelqu'un me prêta une petite machine à écrire et des feuilles blanches, accompagnées d'un grand verre de jus de raisin et d'un bol de maïs éclatés... roses ! Cette marque d'attention tout à fait inhabituelle souleva un grand bonheur en moi. Un sentiment incroyable de bien-être m'habita durant les quelques heures où j'imaginai, quoique très maladroitement, l'histoire fabuleuse d'un héron à l'aile brisée, sauvé par un hérisson aux yeux gris et à la queue en tire-bouchon... Quelle inspiration ! Et le *pop-corn* rose ! Qui diantre avait inventé un tel plaisir pour le palais ? Cet événement unique eut un effet mobilisateur sur mon désir encore incertain de devenir écrivaine.

Finalement, ce fut vers l'âge de quinze ans, à la lecture de livres inspirants tels : « *Stranger to the ground* » de Richard Bach, et « *À la recherche du temps perdu* » de Marcel Proust, que j'optai définitivement pour ce choix de carrière. Chacun des mots de ces auteurs venait gratouiller en moi la corde sensible du désir d'écrire, de raconter des histoires qui sauraient peut-être, un jour, toucher le cœur des gens. Du moins, je l'espérais...

Chapitre 2

Pour qui écrire ?

Écrire, c'est unir la vie intérieure à la vie extérieure. C'est attendre longtemps, sans avoir peur, avant de pouvoir lier l'histoire du monde à son histoire.

Nina Bouraoui

Pour atteindre un public cible, il faut d'abord déterminer le type de lecteurs à qui on veut s'adresser, car on dit souvent qu'un livre qui s'adresse à tous ne s'adresse à personne. Une fois le profil du lectorat arrêté, le plan d'action s'établit plus facilement.

Rejoindre les gens dans leur(s) secteur(s) d'intérêt

Votre livre peut résulter d'une demande provenant d'un groupe dont vous faites partie : un club d'horticulture, une association de collectionneurs, une équipe de bénévoles, etc., ou bien d'une personne en particulier. N'oubliez pas que la somme de vos acquis peut contribuer à enrichir ces gens dans leur propre domaine.

Un autre besoin générant le goût d'écrire pour des gens spécifiques est celui de faire profiter votre famille et vos amis de vos souvenirs. La compilation des événements du passé, teintée de vos émotions, représente un précieux héritage à laisser aux vôtres. De plus, si le produit final est digne d'un public plus vaste, votre livre dépassera les frontières de la famille. À titre d'exemple, en écrivant son premier livre : *Le tour de ma vie à 80 ans*[1], Marguerite Lescop croyait que seule sa famille serait appelée à lire le récit de son vécu. Pourtant, cet ouvrage est devenu un succès de librairie au Québec. Ne sous-estimez pas la valeur de vos écrits. Ils peuvent prendre leur envol vers une direction imprévue et stimulante.

Notons, toutefois, que dans la majorité des biographies personnelles, il faut plus que des souvenirs inédits. Quelques enrichissements littéraires et des anecdotes savoureuses sont indispensables afin que le lecteur ne s'ennuie pas dans un dédale d'informations factuelles qui ne lui rapportent rien, surtout s'il n'est pas impliqué.

Le ton, le style et le traitement de l'information sont également tributaires du lectorat ciblé et ils accroissent votre crédibilité auprès de lui. De quelle façon le lecteur désire-t-il être approché ? De manière formelle ou informelle ? Personnelle ou impersonnelle ? Dépendamment des personnes visées : adultes, adolescents ou enfants, vous pouvez utiliser différentes formules :

1. le *vous* indique l'aspect respectueux de l'écriture ;

---

1. Lescop, Marguerite. *Le tour de ma vie à 80 ans*, Éditions Lescop, 1996.

2. le *tu* crée une ambiance plus intime ; à réserver plutôt pour les enfants ;
3. le *nous*, à moins qu'il y ait plus d'un auteur, est à utiliser avec modération ;
4. le *on* qui signifie *nous* est plus familier. Il est préférable d'utiliser le *nous*.

Le niveau d'instruction et les intérêts personnels du futur lecteur, jumelés à l'objectif poursuivi (divertir, informer, éveiller, inspirer, etc.), détermineront le niveau de la langue et la terminologie technique à employer. Votre vocabulaire doit s'adapter à sa capacité de compréhension. Des mots rares nécessitant l'usage d'un dictionnaire risquent de décourager le lecteur moyen. Par contre, un langage trop simpliste et un vocabulaire restreint feront mauvaise impression sur la personne plus cultivée.

Une fois le type de lecteurs identifié, gardez-le présent à l'esprit pendant tout le processus d'écriture. Cette vigilance vous incitera à tenir compte de ses besoins.

Pièges à éviter : vous sous-estimer et penser aux critiques

Une erreur à éviter lors du processus d'écriture est de vous sous-estimer et de douter de vos connaissances et de votre expérience. Cette propension néfaste se formule souvent ainsi : « Qui suis-je pour écrire sur ce sujet ? » La meilleure réponse à cette question est celle-ci : « Je suis unique, voilà pourquoi mon expérience et mes connaissances toucheront différemment des personnes spécifiques. » Évitez toutefois de vous surestimer et d'écrire de façon hasardeuse sur n'importe quel sujet sans posséder au préalable une compréhension et des notions précises, voire exhaustives, sur le sujet traité.

Le deuxième piège consiste à douter de soi : « Qui s'intéressera à ma vision et à mes réflexions sur ce thème ? Que penseront les grands spécialistes de ma version des faits ? Comment les critiques littéraires vont-ils interpréter et juger mes écrits ? »

Ce piège, qui prend sa source notamment dans la peur du jugement, dans l'insécurité et dans le sentiment d'incompétence, est sournois et peut court-circuiter votre spontanéité et votre inspiration. N'y succombez pas. Pour neutraliser ces pensées, rappelez-vous que vous écrivez pour le plaisir. Si votre livre rejoint un certain nombre de personnes, vous pourrez alors vous dire : mission accomplie.

Conseil : visualiser votre futur lecteur

Prendre conscience de vos lecteurs potentiels consiste à créer un contact intime avec l'un d'entre eux. Mais qui est le lecteur ? Il est celui qui reçoit vos idées et qui devient, bien souvent, une sorte de coauteur. Il suit le filon de vos mots et les amalgame avec son propre imaginaire pour créer une image ou un scénario intérieur qui lui appartient. Vos mots viennent donner une couleur à ses propres réflexions. Vos écrits ont donc un impact majeur sur les individus puisqu'ils peuvent influencer leurs pensées et, éventuellement, leurs actions. Alors, de grâce, ne sous-estimez pas votre rôle social et choisissez bien les mots qui cultiveront et élèveront l'esprit de votre lecteur.

L'écrivain mexicain Carlos Fuentes a déjà dit : « Le lecteur doit être inventé par l'auteur, imaginé dans le but de lui faire lire ce que l'auteur a besoin d'écrire, non ce qu'on attend de lui. Où est donc ce lecteur ? Il se cache ? Il faut le chercher. Pas encore né ? Il faut attendre patiemment qu'il vienne au monde. Écrivain, jette ta bouteille à la mer, aie confiance, ne trahis pas ta parole, même si aujourd'hui tu n'es lu par personne, attends, espère, désire, désire même si tu n'es pas aimé...[1] »

Pour vous aider à mieux visualiser ce futur lecteur, nous vous suggérons d'effectuer une détente dirigée. Fermez les yeux tout en prenant quelques respirations profondes, puis, imaginez le scénario qui suit, défilant sur votre écran intérieur :

> *On frappe à la porte. Vous ouvrez et quelqu'un se présente à vous avec un large sourire. Cette personne tient un livre dans ses mains. En portant votre regard sur la page couverture, vous réalisez qu'il s'agit du livre que vous venez d'écrire. Une fois la surprise passée, vous invitez la personne à entrer. Celle-ci s'empresse de vous révéler à quel point elle a apprécié la lecture de votre ouvrage et les bienfaits qu'il lui a procurés.*
>
> *Après avoir bien conscientisé la reconnaissance de ce futur lecteur, vous allez ressentir une confiance accrue en vos capacités. Si votre livre a aidé une personne, il en touchera certainement bien d'autres. Félicitez-vous d'avoir passé à l'action.*

1. Fuentes, Carlos. *Géographie du roman*, Éditions Arcades, Gallimard, 1997, p. 62.

Expérience de Nicole

Je me souviens encore de l'apparence d'un futur lecteur que j'avais visualisé lors d'un atelier d'écriture en Californie. Son image est demeurée présente en moi durant tout le processus d'écriture.

Par la suite, j'avais identifié dans son ensemble à quel type de personnes je m'adressais pour mon premier livre : en fait, il s'agissait de monsieur et madame Tout-le-Monde. Ce choix était justifié par le fait qu'ayant moi-même intégré des notions sur la nature psychologique et les caractéristiques physiologiques du rêve, je voulais simplifier ces connaissances pour les mettre à la portée de tous.

Que ce soit la mère au foyer se souvenant de nombreux rêves et ne sachant pas quoi en faire, l'adolescent qui fait des rêves récurrents et s'en inquiète, ou l'homme d'affaires qui a peu de souvenirs de ses aventures oniriques, mais qui soupçonne que celles-ci lui fournissent des solutions, chacun d'entre eux a un questionnement légitime et mérite d'en savoir davantage.

À l'époque, nourrie par de nombreuses lectures et des formations à l'étranger, et grâce aussi à mon expérience personnelle de plus de dix ans de rédaction d'un journal de rêves, j'avais le goût de partager mes connaissances en toute simplicité. L'écriture d'un livre m'apparut comme étant une étape logique à ce long cheminement.

Expérience de Marilou

Pour qui écrire? *Pour tout le monde, sans exception*, ai-je cru naïvement lors de la rédaction de mon premier livre. Je fus rapidement confrontée à une réalité différente quand mon ouvrage se retrouva sous l'œil critique des lecteurs. Certes, il enchantait un grand nombre de personnes (la première édition se vendit très rapidement), mais plusieurs le trouvaient carrément inacceptable en raison d'un sujet délicat que j'avais abordé. J'ai donc appris, à la dure école, que plaire à tout le monde relevait de l'impossible. Chaque écrit entraîne dans son sillage des réactions positives ou négatives empreintes d'une gamme d'émotions souvent projetées vers l'auteur. J'ai dû développer l'habitude de ne pas sombrer dans mes peurs tout en me rappelant certains mots de Marcel Proust: «La permanence et la durée ne sont promises à rien, pas même à la douleur.» Il ne sert donc à rien de verser dans l'apitoiement à long terme. Il faut accepter la leçon, s'il y a lieu, et poursuivre la route.

Par ailleurs, mon plus gros obstacle, à la ligne de départ, a été de me sous-estimer et de croire que l'écriture d'un livre découlait de connaissances littéraires et linguistiques accumulées par de nombreuses années de scolarité. Ayant passé une partie de mes études à faire l'école buissonnière, je me retrouvais dans une situation où, pour me distinguer comme écrivaine, je devais prouver, mieux que quiconque, mon talent pour les mots. Avec un tel poids sur les épaules, la tension était quasi insoutenable. Je misais non pas sur mes connaissances autodidactes appuyées de mes dispositions naturelles, mais sur l'opinion d'autrui et leur appréciation de mon talent d'écriture... si talent il y avait!

Aujourd'hui, malgré de fortes secousses, je poursuis ma route sur le sentier des mots en approfondissant mes connaissances sur l'être humain et en étudiant de grands textes.

Ma passion d'écrire ne s'amenuise pas. En fait, elle habite si proche de mon cœur que parfois je confonds les deux...

Chapitre 3

Où trouver l'inspiration ?

J'ai appris à ne jamais tarir le puits de mon inspiration, à toujours m'arrêter quand il restait un peu d'eau au fond et à laisser sa source le remplir pendant la nuit.

Ernest Hemingway

D'où vient l'inspiration ? Plusieurs pensent qu'un rayon lumineux, rempli d'informations de toute sorte, descend miraculeusement du ciel vers notre cerveau pour nous éclairer et nous insuffler les mots à écrire. Certes, il peut arriver qu'une inspiration venue de zones inconnues survienne à l'occasion. Une étincelle lumineuse allume alors un brasier d'idées nouvelles ; les mots, comme par magie, s'enfilent les uns derrière les autres, tel un collier de perles, pour produire un texte d'une grande beauté. Il s'agit là d'un cadeau, d'une expérience presque surnaturelle qui requiert un lâcher-prise complet dans l'acte d'écrire. Plusieurs écrivains y parviennent, d'autres demeurent impuissants à s'abandonner à cette source inépuisable.

L'inspiration, ce souffle créateur, ne provient pas uniquement de dimensions invisibles. Elle découle d'un facteur très important: l'observation. L'écrivain en devenir qui n'a pas appris à contempler ce qui l'entoure ressemble à un photographe incapable de surprendre la lumière de cinq heures danser d'une manière particulière sur l'herbe verte et sur le feuillage des arbres.

Pour comprendre l'inspiration, il faut la saisir de l'intérieur. Elle est la mère de tout écrit, le filon invitant à coucher sur papier les mots qui donneront forme à une œuvre unique. Le fameux syndrome de la page blanche découle bien souvent de cette incapacité à nouer avec cette partie de nous-même qui fourmille d'idées géniales. Mais, comment pouvons-nous entrer en contact avec elle ?

Regarder et écouter autrement

Afin d'écrire des textes uniques en leur genre, il faut d'abord développer une vision plus incisive, plus profonde de la vie, et en même temps, plus légère. « Un écrivain ne doit jamais perdre cet *état d'enfance*, un état qui n'est pas nécessairement de l'immaturité ou de la sentimentalité, mais une manière de regarder les choses comme si on les voyait pour la première fois.[1] »

Regarder ne consiste pas seulement à effleurer les objets, les êtres et les éléments de la nature avec nos yeux, mais à conserver intérieurement les informations reçues comme un cadeau précieux à déballer en mots au moment

---

1. O'brien, Edna. Extrait d'une entrevue dans Libération – 21 juin 2001.

venu. En observant la vie d'une manière à la fois technique et intuitive, nous nous ouvrons à une réalité encore plus prenante, audacieuse et surprenante à bien des égards. Nous remarquons davantage les lignes définissant les silhouettes, le scintillement des étoiles, l'intensité d'un coucher de soleil, la beauté d'un visage, les nuances d'une œuvre d'art. Nous devenons, à tour de rôle, le chasseur d'images, le sculpteur, le dessinateur, le peintre. Ces impressions venant de l'extérieur engendrent souvent une idée originale, une prise de conscience ou une poésie de sensations et d'émotions.

Les futur auteurs devraient toujours conserver un calepin et un crayon à portée de la main afin de formuler les différentes nuances perçues par leurs yeux. Plus les mots sont précis et conformes à leur vision et à leur état d'âme du moment, plus ces personnes exprimeront leur unicité. Un regard superficiel ne conduira qu'à des écrits superficiels. Saint-Exupéry n'a-t-il pas dit : « Les yeux sont aveugles, il faut chercher avec le cœur. » ? Lorsque nos yeux sont incapables de voir, nous ne pouvons guère enregistrer les données précieuses venant de l'extérieur. En revanche, quand ils savent contempler, nous *regardons* alors à partir d'un endroit plus sensible et ouvert : le cœur. Alors, l'imaginaire s'emballe et propose des idées qui façonneront éventuellement le contenu de nos écrits.

L'observation de notre monde environnant s'effectue également par l'audition. Tout comme il existe une différence entre *voir* et *regarder*, une distinction s'impose entre *entendre* et *écouter*. Entendre consiste à percevoir les bruits par les oreilles sans nécessairement prendre conscience du contenu. Le son glisse dans l'organe de l'ouïe et nous retenons seulement ce qui nous plaît ou ce qui ne peut pas être nié. Certes, un discernement auditif est essentiel dans notre vie de tous les jours, sinon la sollicitation, surtout en milieu urbain, serait trop grande et la folie risquerait de nous attraper dans ses filets. Par contre, ne fonctionner que sous le mode sélectif nous empêche d'accéder aux trésors que recèlent les profondeurs sonores. Savoir écouter est une faculté extraordinaire qui mobilise tout notre être vers le contenu, que ce soit des paroles, des formes acoustiques, des rythmes, des harmonies... Écouter, c'est retenir l'information.

Un exercice simple à pratiquer régulièrement consiste à fermer vos yeux et à vous concentrer sur les sons. Écoutez attentivement et saisissez les différents bruits autour de vous : doux, acérés, intermittents, agressants, continus, etc. À quoi ces sons vous font-ils penser ? Dans votre calepin, traduisez en mots l'ambiance sonore du moment. En temps et lieu, votre imaginaire se servira de toutes ces données pour élaborer un texte expressif et fécond.

Ressentir dans tout son être

L'observation consiste également à ressentir, c'est-à-dire à être touché agréablement ou désagréablement par des sensations (le froid, la chaleur, la douceur, etc.), par des émotions (les nôtres ou celles d'autrui), etc. Pour la plupart des écrivains, éprouver une sensation ou une émotion est rarement une difficulté en raison de leur sensibilité à fleur de peau. Elle est, en fait, un atout de première nécessité.

Le dosage des émotions est toutefois requis dans tout écrit. Certes, un livre qui ne transmet aucune âme, aucune sensibilité, ressemble à un gâteau sans sucre : il est fade et sans goût. Par contre, user des émotions à outrance pour décrire une situation, positive ou négative, peut exacerber le lecteur.

Un exercice qui permet de saisir les émotions est de rester présent à elles suffisamment longtemps pour les reconnaître et les nommer. En plongeant dans l'univers de vos souvenirs, vous invitez automatiquement les émotions à se manifester. Dans le cas d'un passé douloureux, cette démarche suppose la prudence puisque certains traumatismes anciens non guéris pourraient émerger et vous troubler profondément. Dans de telles circonstances, il est préférable d'être encadré par un professionnel : un thérapeute ou un psychologue. Il ne s'agit pas d'entrer au cœur d'émotions difficiles, mais d'observer simplement celles qui se présentent au quotidien, et ce, dans un contexte sécuritaire.

Pièges à éviter : attendre l'inspiration et écrire uniquement de manière rationnelle

L'attente de l'inspiration pour débuter ou poursuivre l'écriture de votre livre est un état non recommandé. Il faut parfois créer une ambiance propice à sa venue. Pour y parvenir, écrivez sans interruption ce qui émerge de votre esprit afin d'activer vos neurones et stimuler votre créativité. Vous verrez alors poindre une phrase intéressante ou un concept accrocheur qui entraînera, dans son sillage, une foule d'idées originales utiles au développement de votre texte.

N'écrivez pas uniquement de manière rationnelle. Certes, posséder une bonne connaissance de la langue, utiliser un vocabulaire adéquat, connaître les règles de la syntaxe et maîtriser son sujet à fond sont des atouts majeurs dans l'art d'écrire. Toutefois, les règles de l'écriture et la dimension intellectuelle ne doivent pas être les seules à prédominer dans votre texte. Si l'authenticité, la sincérité et la passion ne transparaissent pas entre les lignes ni ne font vibrer le lecteur, votre livre ne suscitera qu'un intérêt mitigé. Vos écrits seront sans âme. Comme le dit si bien Christian Bobin : « Lire c'est faire l'épreuve de soi dans la parole d'un autre, faire venir de l'encre par voie de sang jusqu'au fond de l'âme et que cette âme en soit imprégnée, manger ce qu'on lit, le transformer en soi et se transformer en lui.[1] »

Conseil : utiliser les ressources de l'inconscient

Pour développer votre sens de l'observation et donner vie à l'inspiration, il existe un moyen fort simple qui consiste à vous rallier à votre partie inconsciente, celle que l'on croit, à tort, endormie à tout jamais dans les bras de Morphée. En réalité, elle recèle de précieux trésors lorsque nous savons l'utiliser à bon escient. Afin d'entrer en contact avec votre inconscient, il est préférable de vous souvenir et de comprendre vos rêves, cette source féconde d'informations de la vie onirique. Composez un postulat de base et répétez-le quelques fois avant de vous endormir :

- Cette nuit, je vois la prochaine étape de mon projet d'écriture.
- Cette nuit, je découvre l'intrigue idéale pour mon roman.
- Cette nuit, je développe la structure de mon livre.
- Cette nuit, je perçois la nature précise de mes personnages.

1. Bobin, Christian. *L'épuisement*, Éditions Le temps qu'il fait, 1994, p. 95.

– Cette nuit, je reçois l'inspiration pour écrire aisément mon ouvrage.

Le rêve, expression de notre inconscient créateur, saura sûrement vous répondre dans son langage universel, celui des métaphores et des symboles. Au réveil, vous n'aurez qu'à cueillir ces données précieuses dans lesquelles se cachent d'inestimables informations.

À titre d'exemples, voici une liste sommaire d'œuvres inspirées directement du rêve : *L'Or du Rhin* de Wagner, *La Flûte enchantée* de Mozart, *La sonate du Diable* de Tartini, *Yesterday* de Paul McCartney, *La Légende des siècles* de Victor Hugo, *Le Discours de la Méthode* de Descartes, *L'étrange cas de Docteur. Jekkyl et Mister Hyde* de Robert Louis Stevenson, le poème *Kubla Khan* de Coleridge. Ces artistes, musiciens ou écrivains, ont osé déclarer l'apport de leurs rêves dans l'élaboration de leurs créations.

Expérience de Nicole

Étant passionnée par la science et ses découvertes, j'ai une tendance très prononcée à écrire avec mon intellect d'abord. De plus, comme la majorité de mes livres sont de nature pratique, mon style d'écriture est donc plus rationnel. Cependant, lors de la création de mon troisième manuscrit, j'ai dû m'ouvrir davantage à l'inspiration pour nommer et décrire les niveaux subtils de la conscience. À ma grande surprise, des métaphores inusitées ont jailli de mon inconscient pour illustrer les envolées nocturnes dans le monde onirique.

Par la suite, pour le cinquième ouvrage concernant la description des nombreuses fonctions du rêve, j'ai utilisé un mode plus poétique. En profitant de l'inspiration du matin, je contactais un nouveau langage où les symboles remplaçaient les données purement logiques.

Afin de contourner ma tendance à écrire de manière cérébrale seulement, je médite tous les matins pour me brancher à la source intérieure qui illumine mes pensées et clarifie mes intentions. Ceci me permet de laisser la place à l'inspiration en provenance de la partie divine en moi, l'âme.

Expérience de Marilou

J'ai développé mon inspiration en observant intensément la vie, en lisant un nombre impressionnant de livres, en écoutant de la musique et en... peignant. Eh oui ! Lorsque mon pinceau touchait la toile pour évoquer une atmosphère, pour établir des profondeurs ou délimiter la ligne d'horizon, les idées affluaient comme un courant fort dans mon esprit. À chaque coup de pinceau, je voyais une histoire prendre forme et se matérialiser peu à peu devant moi. Et lorsque les couleurs posées sur le canevas m'acheminaient infailliblement vers le sentier des mots, je me précipitais sur un crayon pour déposer, telle une peinture de fond, les bases d'une nouvelle histoire.

Aujourd'hui, je peins mes mots. Je les colore de gris lorsque la peur me paralyse; je les barbouille de jaune quand le rire me secoue; je les farde de rouge lorsque la timidité m'envahit; je les enveloppe de noir au souvenir de mon passé; je les revêts de bleu au toucher de la tristesse. Mes mots dépeignent les couleurs de mes états d'âme et je m'abandonne aux différents récits émergeant de mes profondeurs. Lorsque je tente de contrôler le déversement des mots, mon inspiration disparaît aussitôt pour ne revenir qu'au moment où j'ai lâché prise.

Mon souffle d'inspiration ressemble au vent. Je ne le vois pas, mais j'en constate les effluves constants sur ma feuille de papier. Sa source découle principalement de mon bagage d'informations accumulées au fil des années, qu'elles soient intellectuelles ou intuitives, visuelles ou auditives. Elle prend aussi naissance dans mes non-dits, mes peurs, mes silences, mes joies, mes souvenirs, heureux ou malheureux, et mes nombreuses interrogations sur la vie.

Chapitre 4

Comment écrire ?

> *On n'apprend à écrire un livre qu'en l'écrivant. Dans ce métier, comme en tout autre, il faut, après une brève délibération, se jeter à l'eau. Autrement l'on délibérera toute sa vie.*
>
> André Maurois

Nous écrivons tous différemment : avec aisance, pour les personnes qui ont la plume facile, et avec difficulté, pour celles qui préfèrent s'exprimer par la parole. Selon ses acquis antécédents et ses forces particulières, en cours de route, chaque auteur développe sa propre technique et se découvre un style personnel.

Poète transporté, romancier inspiré ou auteur engagé, chacun acquiert et reflète sa propre créativité par le biais des mots. Toutefois, malgré la liberté d'expression dévolue à chacun d'entre nous, il n'en demeure pas moins que certaines règles de base s'avèrent fort utiles, pour ne pas dire essentielles, lors de l'élaboration d'un livre. Un plan efficace jumelé à un échéancier raisonnable représentent des atouts majeurs.

L'élaboration d'un plan

Dans un premier temps, le livre doit se bâtir selon une structure d'ensemble efficace. Pour un ouvrage nécessitant un ordre logique, il est important de veiller à ce que tout se déroule de manière systématique, c'est-à-dire d'un point à un autre. Si un plan comporte trois étapes, il faut se déplacer du point A vers le point C, en passant par le point B. Votre livre peut ainsi se développer méthodiquement de chapitre en chapitre. Il est beaucoup plus aisé pour le lecteur de vous suivre lorsque votre raisonnement est clair et logique. Cette étape constitue l'épine dorsale de votre livre. Elle est essentielle pour donner une direction définitive à votre travail.

S'en tenir au plan original est non moins capital afin d'éviter l'égarement dans des directions inappropriées ou bien de devancer certains éléments appelés à être développés ultérieurement. Un plan d'écriture bien établi offre des points de repère solides et vous évitera les embûches de l'éparpillement.

La structure des genres littéraires autres que la fiction (essai, guide pratique, manuel d'apprentissage, compilation de recettes, témoignage, traité de développement personnel, etc.) doit s'appuyer sur une logique d'ensemble pour favoriser la compréhension du lecteur. En voici quelques exemples:

- du général au particulier (les principes de l'architecture) ;
- du plus simple au plus complexe (la peinture sur céramique) ;
- du court terme au long terme (se composer un portefeuille d'actions) ;
- quand, comment et pourquoi (la pratique du jardinage) ;
- groupe général, sous-groupe et individus (le personnel soignant les aînés) ;
- historique, théorie et pratique (la pratique des arts martiaux) ;
- avant, pendant et après (le témoignage d'une histoire de guérison) ;
- chronologique (le récit d'une biographie).

En revanche, lorsqu'il s'agit d'un conte, d'un roman, d'une fiction ou d'un recueil de nouvelles, différentes techniques sont envisageables. Dans son livre *L'Art d'écrire*, Pierre Tisseyre partage sa riche expérience d'éditeur. Il y démontre les nombreux paramètres permettant d'élaborer un livre pouvant toucher le lecteur : la préparation, la conception, la construction, les personnages, le décor, les dialogues, le style. Tout y est analysé, décortiqué et appuyé d'exemples concrets. Monsieur Tisseyre souligne : « Il y a de nombreuses façons de construire un livre qui raconte une histoire. On peut suivre l'ordre chronologique, quitte à le modifier de temps en temps en utilisant le procédé du *flash-back* ou retour en arrière. On peut aussi raconter l'histoire en faisant parler tour à tour différents personnages ou mener de front plusieurs intrigues parallèles... La construction linéaire classique, la plus simple et la plus utilisée, consiste à commencer une histoire à son début et à la raconter chronologiquement comme elle s'est déroulée.[1] Ces conseils sont valables pour un guide pratique ou pour tout genre d'écrit utilitaire. Vous pouvez consulter la table des matières afin de saisir la logique du développement.

Une fois la table des matières identifiée et la méthode de raisonnement articulée, vous devez établir la structure de votre livre de manière cohérente en y ajoutant, au besoin, les éléments suivants : titre, sous-titres, titres de chapitres et intertitres.

Le titre du livre sert à donner le ton à votre ouvrage. Celui-ci sera soit humoristique ou sérieux, simple ou complexe. Notez que vous pouvez le modifier en cours d'écriture ou lorsque votre manuscrit sera complété. Il arrive parfois que l'éditeur propose un autre titre qui conviendra mieux au programme promotionnel prévu pour sa diffusion. À vous de l'accepter ou non. Soyez souple, tout de même. Faites-lui confiance, car son expérience possède une grande valeur.

Le titre constitue généralement le thème qui résume votre livre. Il est donc primordial qu'il se prononce facilement. Bien entendu, il y aura toujours des exemples de très grands succès pour contredire cet énoncé. Un best-seller peut posséder un titre compliqué que peu de personnes retiennent, par exemple : *Il y a quelqu'un qui m'attend quelque part*, d'Anna Gavalda. Cet ouvrage a été refusé par de nombreux éditeurs avant d'être publié par les Éditions Le Dilettante et traduit en 37 langues dont 400,000 exemplaires français vendus.

1. Tisseyre, Pierre, *L'Art d'écrire*, Éditions Pierre Tisseyre, 1993, p. 47.

Un titre peut aussi comporter un double sens : *L'empire désorienté*; *Le moine qui vendit sa Ferrari ; Un merveilleux malheur...* Ces oppositions concourent bien souvent à dérouter notre cerveau rationnel afin de permettre une compréhension neuve et sensible d'un sujet parfois complexe.

Un titre court obtient habituellement la faveur des éditeurs. Il est important qu'il puisse s'énoncer à haute voix. À la radio, lors de conférences, à la télévision ou entre collègues, il doit s'incorporer aisément dans une phrase. En librairie, un titre doit graphiquement être lisible puisqu'il trône sur la page couverture et que le livre se retrouve entouré de bien d'autres ouvrages. Cherchez à vous distinguer des titres qui existent déjà en consultant des bases de données telles la Bibliothèque Nationale, Amazon, etc. Depuis l'avènement de la recherche sur Internet, la consultation est maximisée et vous offre d'intéressantes avenues de documentation. Afin de simplifier votre investigation, posez-vous la question : « Quelle image mon titre pourrait-il évoquer dans l'esprit du lecteur potentiel et du journaliste ? »

Ensuite vient la désignation d'un sous-titre général. Il est souvent très utile pour les ouvrages pratiques, car il précise l'orientation du sujet traité. Par exemple : *L'art de rêver* de Nicole a pour sous-titre : *Un guide pratique pour devenir un rêveur actif* et *Le Chanteur de l'eau* de Marilou a celui-ci : *La quête d'un mieux-être pour l'humanité.* Afin de vérifier la clarté de votre sous-titre, soumettez-le à quelques personnes autour de vous et acceptez de le modifier s'il y a lieu.

Grâce à une structure cohérente, un titre révélateur et un sous-titre inspirant, votre livre commence à prendre forme. Maintenant, vous devez nommer les chapitres à partir du type de logique préétablie. Pour trouver des titres accrocheurs, faites appel à votre sensibilité et à votre jugement. Ces titres de chapitres et les intertitres, mis en caractère gras, représentent une sorte de rappel pour faciliter la compréhension et l'intégration de la matière. Les titres de chapitres doivent indiquer le contenu qui sera traité, et les intertitres, les subtilités de chacun des points abordés et qui forment les éléments de base du sujet.

Un échéancier raisonnable

La structure avec ses quatre composantes: titre, sous-titres, chapitres et intertitres étant établie, les textes doivent maintenant former la chair de votre livre. Pour ce faire, vous devez écrire des textes à partir des données que vous possédez et qui exigent des connaissances déjà acquises. Ces dernières doivent être accompagnées, si nécessaire, de références et de recherches pour compléter votre sujet.

Votre parcours d'écriture est personnel. Vous pouvez choisir d'avancer pas à pas, chapitre par chapitre, pour développer votre sujet de la première à la dernière page ou bien d'écrire quelques éléments dans chacun des chapitres avant de les développer par la suite. Ces préliminaires vous aident à donner le ton au chapitre amorcé en plus de créer l'impression que le livre a pris forme et qu'il se développe adéquatement.

Certains auteurs choisiront de commencer par la fin du livre en revenant vers le début. D'autres préféreront travailler avec l'inspiration du moment, soit un chapitre en particulier, et pas nécessairement dans l'ordre logique du livre.

Une bonne planification est la clé du succès pour rendre à terme un manuscrit. Combien de personnes possèdent des livres en chantier, et ce, depuis des années? Vous en connaissez sûrement. Ces gens ont sans doute d'excellents projets, mais ce qui les empêche de terminer leur travail est souvent d'avoir omis de déterminer une date butoir.

Établir un calendrier de production est primordial pour éviter la procrastination et la perte d'enthousiasme devant un projet qui s'éternise. Sans délai préétabli, les remises à plus tard cèdent le pas à d'autres occupations.

L'échéancier choisi se doit d'être raisonnable. Trop court, il vous découragera et fera planer un sentiment d'échec. Trop long, il atténuera votre feu sacré et il étouffera votre créativité ainsi que votre désir de mener à terme votre entreprise.

En tenant compte du travail préparatoire (lectures et recherches) et des moments d'écriture disponibles, vous pouvez vous fixer une période de temps spécifique afin d'accomplir votre travail. Pour vous donner une approximation, cette durée peut varier entre six mois et un an. Même si certains écrivains mettent parfois aussi peu que quelques semaines, et d'autres, plus de cinq ans à pondre un livre, ne vous laissez pas influencer par ces cas d'exception.

Prenons l'exemple d'un échéancier étalé sur un an. Afin de bien comprendre les étapes de mise en forme du livre, voici un modèle de travail réparti sur trois, six et trois mois (3-6-3), c'est-à-dire : trois mois de recherche, six mois d'écriture et trois mois de correction. Ce modèle proposé comme référence vous permet de choisir la formule qui convient le mieux à votre personnalité et à votre type de projet.

Pour la recherche et l'accumulation de données, accordez-vous un minimum de trois mois de lecture, d'exploration sur Internet ou dans les bibliothèques et d'échanges avec des spécialistes. Cette étape vise à monter une banque de données traitant de votre sujet. Il est à espérer que cette matière vous intéresse depuis déjà un certain nombre d'années et que votre curiosité vous a entraîné vers des lectures spécialisées, des formations pratiques et une collecte abondante de témoignages. Traiter d'un sujet inconnu et tenter de le comprendre en trois mois est une tâche presque impossible. Vous risquez de ne pas être suffisamment renseigné et d'élaborer superficiellement la matière, ce qui nuirait à votre crédibilité.

Gardez en tête que l'information concernant votre thème sera sans cesse actualisée. Il y aura toujours, en cours de route, une nouvelle découverte, un débat télévisé, une entrevue dans un journal, un article de magazine ou un livre récent pour vous rappeler que tout n'a pas été dit ou écrit. De grâce, ne tombez pas dans le piège de remettre en question votre travail sinon vous n'en sortirez jamais. Passez à l'étape suivante, quitte à revenir subséquemment pour compléter le manuscrit avec de nouvelles données. En respectant votre échéancier de départ, vous sentirez que votre travail progresse et se déroule tel qu'il a été prévu.

Durant votre parcours d'écriture, il est possible qu'un obstacle imprévu surgisse: votre saboteur intérieur. Comme par hasard, vous avez soudain envie de faire le ménage, de cuisiner, d'aller magasiner, de laver votre voiture, enfin, de tout faire sauf écrire. Ces désirs inopinés, mais très présents, représentent une sorte de boycottage inconscient devant le grand plongeon à réaliser: écrire votre livre. Un auteur averti en vaut deux. Remettez à plus tard ces envies qui cherchent à vous distraire et à vous éloigner de votre défi.

Durant la période de six mois d'écriture, le temps de création peut varier selon le goût ou la disponibilité de chacun. En voici des exemples :

- quelques heures d'écriture chaque jour ;
- plusieurs heures successives une fois par semaine ;
- un moment propice en soirée lorsque l'ambiance est calme ;
- quelques jours par mois ;
- les fins de semaine.

Il est bon d'adapter votre rythme de travail à vos biorythmes naturels. La personne matinale bénéficiera des premières heures de la journée pour écrire en toute tranquillité. À l'inverse, la personne couche-tard profitera des heures de fin de soirée pour rédiger, car semble-t-il, les oiseaux de nuit ont davantage d'inspiration le soir.

L'essentiel, c'est de ne pas lâcher en cours de route et de suivre votre filon. Maxence Fermine résume magnifiquement ce processus : « Écrire, c'est avancer mot à mot sur un fil de beauté, le fil d'un poème, d'une œuvre, d'une histoire couchée sur un papier de soie. Écrire, c'est avancer pas à pas, page après page, sur le chemin du livre. Le plus difficile, ce n'est pas de s'élever du sol et de tenir en équilibre, aidé du balancier de sa plume, sur le fil du langage. Ce n'est pas non plus d'aller tout droit, en une ligne continue parfois entrecoupée de vertiges aussi furtifs que la chute d'une virgule ou que l'obstacle d'un point. Non, le plus difficile... c'est de rester continuellement sur ce fil qu'est l'écriture, de vivre chaque heure de sa vie à hauteur du rêve, de ne jamais redescendre, ne serait-ce qu'un instant, de la corde de son imaginaire. En vérité, le plus difficile, c'est de devenir un funambule du verbe.[1] »

Les six mois d'écriture étant terminés, respirez d'aise pendant quelques jours. Vous pourrez ensuite passer à l'étape critique des relectures et des corrections. Combien de temps durera ce travail de peaufinage ? La réponse dépendra de certains facteurs : l'ampleur des corrections, votre disponibilité et votre discipline personnelle. Voilà pourquoi un échéancier revêt une si grande importance : il permet de doser vos énergies.

Au cours de cette étape très importante, il vous faudra surveiller l'orthographe en plus de raffiner votre travail par différentes actions :

- corriger les erreurs de syntaxe ;
- éliminer les répétitions ;
- déplacer certaines parties ;
- ajouter ou supprimer des détails ;
- fusionner des paragraphes ou aérer le texte au besoin ;
- faire des liens, des transitions entre les chapitres ;
- changer les mots répétitifs dans une page de texte.

Ce travail de peaufinage contribuera à embellir votre manuscrit. Tout comme le polissage d'une pierre précieuse en dévoile sa richesse, l'opération d'élagage de texte permet d'en révéler toute la beauté. Lorsque cette tâche est complétée, votre manuscrit est prêt pour l'étape de la vérification. Celle-ci inclut sa lecture par quelques personnes compétentes afin de vérifier différents points :

---

1. Fermine, Maxence. *Neige*, Points/Seuil n_P804. p. 80.

- la clarté et la compréhension du texte ;
- la possibilité d'ajouts nécessaires ;
- l'ordre des chapitres pour un bon suivi ;
- la pertinence des références.

Pour faire suite aux recommandations de vos correcteurs, vous entreprendrez une nouvelle phase de travail qui sera plus ou moins longue selon les modifications à apporter. Cette étape peut prendre de quelques heures à quelques semaines. Même si elle s'avère parfois fastidieuse, ne vous découragez pas ; soyez plutôt reconnaissant que ces personnes aient été placées sur votre route pour améliorer votre texte.

« ...les mots ont une musique. On dit que Flaubert s'en allait, ses phrases terminées, les dire dans une pièce de sa maison qu'il avait appelée son gueuloir afin d'en éprouver la sonorité. Il polissait et retravaillait, jusqu'à atteindre l'épure totale qui le satisfaisait.[1] » Soyez non seulement des techniciens des mots, mais aussi des façonneurs de phrases pour votre bon plaisir et celui de vos futurs lecteurs.

Un manuscrit bien retravaillé est mûr pour l'étape ultime : la reconnaissance et l'acceptation par un éditeur. Plus le manuscrit a une allure professionnelle, plus il a des chances d'être retenu. Il lui faudra tout de même passer par une autre phase de relecture et de correction par le réviseur de la maison d'édition. Cette étape est normale et même nécessaire. Pour l'instant, souvenez-vous que la responsabilité de parfaire votre livre vous incombe jusqu'à la fin.

---

1. Hesse, Jérôme. *Comment écrire un livre et être édité*, Éditions Alain Moreau, 1987, p. 53

Pièges à éviter : s'éparpiller et corriger à outrance

Si la passion d'un sujet vous habite, vous n'en finirez plus de l'explorer dans toutes ses avenues et dimensions. Un danger subtil peut alors survenir : l'éparpillement. Mieux vaut choisir une approche précise et la maintenir tout au long des chapitres plutôt que de changer de cap à tout instant. Ce respect de la structure de base facilitera grandement la compréhension du lecteur.

Le deuxième piège consiste à vouloir corriger à outrance les phrases et les paragraphes fraîchement écrits. Vous risquez de perdre beaucoup de temps et d'énergie puisque ces derniers seront peut-être modifiés, déplacés ou même retirés lors de relectures subséquentes. N'oubliez pas que durant la rédaction d'un livre, une bonne structure est plus importante que la formulation et le raffinage du contenu.

Conseil : maintenir une discipline adaptée

Pour rendre à terme un projet d'écriture, votre carte maîtresse est la discipline. Non pas celle qui était imposée lorsque vous étiez à l'école, mais plutôt celle qui est choisie librement, celle qui vous incite à vous installer à votre table de travail pour écrire le fruit de vos cogitations, de vos connaissances et de vos expériences.

S'il advenait qu'au bout d'une période de deux à trois heures d'écriture, l'inspiration commence à défaillir, que les idées sa raréfient ou qu'une baisse d'énergie se fasse sentir, donnez-vous du temps pour relaxer et vous détendre :

- allongez-vous avec les jambes surélevées pour activer la circulation sanguine et bien irriguer le cerveau (le sang est soumis à la loi de la gravité) ;

- mangez un fruit frais pour un apport en glucose (le carburant essentiel pour le cerveau) ;
- méditez dans une position confortable pour stimuler l'intuition (le silence intérieur nourrit la créativité) ;
- feuilletez votre magazine préféré pour le plaisir de regarder de belles images (la beauté et l'esthétisme rafraîchissent les idées) ;
- prenez une courte marche à l'extérieur pour vous dégourdir (l'éclairage de jour stimule les hormones de l'éveil).

Expérience de Nicole

Pour la majorité de mes livres, je privilégie l'échéancier d'un an. Il comprend préalablement trois mois de consultation des ouvrages concernant le sujet traité.

À mon premier livre, je vous avoue bien humblement que le piège de me dire que je n'étais pas assez renseignée a tenté de me retenir dans la phase préparatoire. Heureusement, une petite voix intérieure m'a chuchoté que si je ne commençais pas maintenant, je ne commencerais jamais, qu'il y aurait toujours des recherches et des découvertes qui apporteraient un éclairage nouveau.

Dans ce premier livre, la période d'écriture établie fut de neuf mois, incluant la réécriture. Un comité de lecture constitué de deux amies, me soutenait par leurs conseils et corrections au fur et à mesure que j'avançais dans mon travail. À la fin de cette étape, j'ai fait relire le manuscrit à deux nouvelles personnes puisque je doutais énormément de mes talents d'auteure. En effet, mon style d'écriture correspondait davantage à un langage parlé plutôt qu'à celui d'un texte littéraire. Tous mes collaborateurs d'écriture ont travaillé très fort pour rendre mon manuscrit présentable à un éditeur. Je leur en suis très reconnaissante.

Grâce à toutes ces personnes aidantes, j'ai ainsi appris à écrire correctement. En relisant les modifications apportées, j'ai compris les règles de syntaxe afin de pouvoir raffiner mes textes subséquents.

Expérience de Marilou

L'écriture de mes livres, en collaboration ou seule, a toujours représenté une tâche ardue dans la mesure où je négligeais de me fixer un échéancier rigoureux. Ma date butoir changeait souvent au rythme de mes peurs, au gré de mes doutes ou même de mes inquiétudes quant à la pertinence de mes idées. Certes, je jubilais devant certaines phrases bien tournées ou poétiques, mais elles se perdaient dans mon capharnaüm de pensées philosophiques trop abstraites ou imprécises. Mieux valait repousser l'échéancier de quelques semaines, voire de quelques mois, plutôt que de proposer des écrits de piètre qualité.

Aujourd'hui, à moins d'une situation exceptionnelle, je ne déroge pas de la date limite que je me suis imposée. Résultat: moins d'éparpillement, plus de précision dans l'écriture et un résultat alliant la joie et la satisfaction du travail bien accompli.

Pour ce qui est de mon temps de recherche et de cumul de données, en règle générale, il représente de longues années de lectures qui convergent vers une compréhension globale du sujet à traiter. Durant les cinq à six mois précédant l'écriture du livre, surtout si ce dernier est technique, je cible mes investigations afin de donner un angle plus spécifique au livre. En revanche, s'il s'agit d'un conte, d'une nouvelle ou d'un roman, je laisse une idée mûrir ou bien je m'abandonne à une histoire qui émerge de mon esprit, comme ça, sans avertissement. Un bon matin, une pression interne, un besoin irrépressible d'écrire devient le signal de départ d'un nouveau voyage au pays de l'imaginaire. Je m'installe, frébrile, devant mon écran d'ordinateur et je laisse mon inspiration s'exprimer sans entrave. Apparaît alors, noir sur blanc, une histoire dont moi-même je ne découvre le dénouement qu'à la toute fin. Cette forme d'écriture est celle que je privilégie le plus.

Partie 2

L'ENVOI

Chapitre 5

La mise en forme du manuscrit

C'est la même chose que d'aimer ou d'écrire. C'est toujours se soumettre à la claire nudité d'un silence. C'est toujours s'effacer.

Christian Bobin

Votre projet d'écriture atteint maintenant sa deuxième phase de réalisation. Après avoir travaillé vaillamment sur le contenu, vous devez maintenant vous pencher sur la révision finale et les règles à suivre pour produire un livre cohérent, crédible et instructif. Tel un artiste qui sculpte et travaille la matière brute pour en faire une œuvre d'art, vous devez également polir votre manuscrit jusqu'à ce qu'il brille, tant au niveau du contenu que de sa présentation finale.

La révision

La révision implique plusieurs relectures et porte sur deux points majeurs: la cohérence (structure du texte et syntaxe) et la progression (développement logique du texte).

Un texte cohérent doit offrir un message clair ou une intrigue suffisamment explicite pour aider à la compréhension du message. Il faut donc éliminer non seulement les éléments susceptibles de distraire le lecteur, mais aussi les incohérences pouvant entraîner des interrogations, voire le doute.

La meilleure façon de repérer les incohérences consiste d'abord à prendre une distance face à votre écrit. Laissez reposer votre texte au moins deux à trois jours dans le fond d'un tiroir et même davantage s'il le faut. À la relecture, vous serez surpris de constater les éléments fautifs qui vous auront échappé : l'ordre et la combinaison des mots, le temps des verbes, les transitions, etc. Si vous ne parvenez pas à obtenir un recul satisfaisant sur votre texte, n'hésitez pas à le faire lire par une ou plusieurs personnes aptes à déceler les mots ambigus, les phrases mal formulées, les contradictions et les imprécisions risquant d'indisposer un lecteur averti.

Ce travail, effectué de manière sérieuse et méticuleuse, augmentera la valeur du livre et sa pertinence aux yeux de l'éditeur. Vous pourrez alors vous engager dans la deuxième phase de la vérification : la progression rythmée et logique du sujet traité ou de l'intrigue imaginée. Cette cadence de progression, ni trop lente ni trop rapide, doit être harmonieuse. Il est donc essentiel d'apporter une attention soutenue aux ponts reliant les paragraphes, au souffle qui maintient le rythme de votre écrit. Le débit doit s'effectuer de façon continue et l'ambiance s'adapter au mouvement ininterrompu de votre récit.

Pour un livre pratique, il est de première nécessité de vérifier la logique entre les dires précédents et ceux qui suivront, de structurer chacun des propos de manière claire et cohérente et, de s'assurer que le développement de l'ouvrage tend vers une compréhension maximale du thème développé. Bref, il ne s'agit pas de s'éloigner constamment du sujet ou d'offrir une valse inharmonieuse entre plusieurs idées. La fluidité de l'enchaînement est essentielle. La danse des mots doit être souple et agréablement agencée afin d'éviter un contenu en soubresauts qui risque de diminuer l'intérêt.

Qu'il s'agisse d'un roman, d'un récit historique ou d'un ouvrage de psychologie populaire, la conclusion d'un livre doit également être revue et corrigée dans son rapport avec l'ensemble du texte. D'ailleurs, il existe plusieurs formes de dénouement :

- ouvert : qui laisse place à l'imaginaire du lecteur ;
- soudain : rapide et souvent imprévisible ;
- heureux : communément appelé *happy ending*, souvent prévisible et toujours réjouissant ;
- mitigé : en *queue de poisson*; termine mal, fin incompréhensible ;
- explicatif : qui représente un condensé du livre. L'auteur récupère les points saillants de l'ouvrage et les résume.

Chacune de ces conclusions doit traduire l'idée générale véhiculée dans le livre ou apporter, à tout le moins, un élément de réponse à l'intrigue soutenue tout au long du volume.

De nombreuses relectures (ne lésinez pas sur cet aspect) sont essentielles pour assurer la lisibilité de votre texte. Puisque le manuscrit a souvent été écrit en « pièces détachées », l'enchaînement d'idées ne peut se voir ni se refléter immédiatement dans son ensemble. Par chance, à la relecture finale, un genre de détecteur de cadence se met en branle pour évaluer le rythme général.

Évidemment, les corrections concernant la ponctuation, l'orthographe, la syntaxe, le choix des bons mots et des expressions sont indispensables et font partie intégrante de toute production écrite. Elles impliquent une recherche méticuleuse des erreurs qui se sont glissées au fil de l'écriture. Un premier jet n'est jamais exempt de fautes. Nous ne le dirons jamais suffisamment, même l'écrivain le plus chevronné passe par cette étape déterminante qui consiste à prendre chacune des phrases individuellement pour les passer sous son oeil critique et ciseleur. Il vérifie ensuite la cohérence entre les paragraphes et les chapitres et il s'assure de la concordance entre les divers éléments de l'œuvre. « Il faudra toujours vous souvenir de ceci : les bons livres ont rarement été bons dès la première mise en forme. C'est dans la réécriture qu'ils le sont devenus... Qui n'a pas lu *Les oiseaux se cachent pour mourir* de Colleen McCullough ? Savez-vous combien de fois elle avait réécrit son manuscrit de mille pages ? Dix fois. À vous de l'imaginer.[1] »

Les règles de l'édition

Un manuscrit de qualité doit répondre aux exigences suivantes :

- le texte est écrit à la machine à écrire ou rédigé sur traitement de texte, à l'ordinateur ;
- le texte est imprimé sur une feuille 8½ × 11 pouces, recto seulement ;

1. Berthelot, Alain et Victor Bouadjio, *Écrire et être édité, guide pratique*, Éditions Écrire aujourd'hui, 1992, p. 108.

- une page doit contenir 25 lignes dont chacune d'elles comprend 60 frappes;
- la grosseur du caractère est habituellement de 12 points;
- les marges doivent être de 2,5 centimètres en haut et en bas de page, et de 5 centimètres de chaque côté;
- le texte est écrit à double interligne (cela permet une meilleure visibilité et facilite l'inscription des remarques et des corrections.) Évitez de faire la césure automatique ou manuelle. Une bonne programmation [tabulation] donnera un texte bien aligné. Le graphiste de la maison d'édition se chargera de la mise en pages;
- le manuscrit doit être paginé à droite, au bas de chaque feuille;

Pour le contenu plus détaillé du manuscrit, voici d'autres règles:

- la première page contient le titre du livre, son sous-titre (s'il y a lieu), le genre littéraire (historique, essai, roman, nouvelle), le nom de l'auteur et ses coordonnées;
- la deuxième page présente la table des matières ou le sommaire;
- la troisième page reprend le titre du livre et le nom de son auteur;
- la quatrième page comporte, bien souvent, la dédicace;
- les pages subséquentes indiqueront: l'avant-propos ou l'introduction, la préface (s'il y a lieu), l'avertissement, les titres des chapitres et leur contenu, la conclusion, les annexes (s'il y a lieu), les notes explicatives, la bibliographie (de même que les notes

bibliographiques), les notes de l'auteur et les informations sur le ou les auteurs et leurs activités;

- les remerciements sont placés au début ou à la fin du livre selon les normes de l'éditeur, de même que la liste des livres publiés par l'auteur incluant le nom de l'éditeur et l'année de la parution du livre;
- les crédits doivent être mentionnés dès les premières pages, qu'il s'agisse du réviseur officiel, de l'illustrateur, du photographe ou de toute autre personne impliquée. De plus, toute reproduction d'œuvre picturale ou photographique doit faire l'objet d'un accord formel des auteurs et mentionné comme tel dans le volume.
- Le nombre de pages à produire varie selon les éditeurs. La plupart, cependant, recherche des manuscrits d'environ cent à deux cents pages, entre 30,000 et 50,000 mots, et ce, pour deux raisons: le coût raisonnable de la production et le temps de lecture des acheteurs.

La majorité des lecteurs préfèrent les livres concis et bien écrits aux gros bouquins surchargés de données difficiles à digérer. Voici des exemples de normes:

- psychologie populaire: 100 à 300 pages;
- biographie: 150 à 250 pages (incluant l'insertion de photos);
- roman historique: 300 à 500 pages;
- nouvelle: 2 à 30 pages;
- conte pour enfants: 2 à 25 pages;
- conte pour adultes: 2 à 30 pages.

Chaque document présenté à un éditeur doit être accompagné d'une lettre résumant son contenu de manière claire et concise. N'indisposez pas l'éditeur avec un préambule interminable qui expose en détail les différents aspects du livre. Même s'il est judicieux de mentionner vos productions antérieures, évitez de les étaler avec emphase. Ce qui intéresse vraiment l'éditeur contacté, c'est la valeur scripturale du manuscrit, la pertinence du sujet traité, l'intérêt anticipé du public et la capacité de l'auteur à promouvoir son œuvre.

En suivant ces conseils de base, votre manuscrit créera une impression favorable. Cela dit, le contenu sera évidemment le facteur déterminant pour sa publication éventuelle.

Pièges à éviter : insérer trop d'ajouts et viser la perfection

Il arrive parfois, lors de la relecture du manuscrit, que l'on remarque l'absence d'éléments pouvant rehausser davantage le sujet traité. Pour combler ce vide, certains auteurs n'en finissent plus de rajouter des phrases ou des paragraphes au texte. C'est un piège. Certes, les ajouts sont primordiaux pour bien étoffer les chapitres, mais en insérer à profusion risque de diluer le message et d'alourdir le texte.

L'important ne consiste pas à écrire tout ce qui est véhiculé sur le sujet. Il suffit de synthétiser le matériel afin que le lecteur retienne l'idée générale. Certes, la remise du manuscrit à l'éditeur ne signifie pas qu'il soit exempt d'erreurs ou de lacunes, mais vous aurez la conscience tranquille puisque vous aurez travaillé de votre mieux. Soyez assuré toutefois que s'il constate l'absence d'éléments d'importance majeure, il vous incitera fortement à insérer les ajouts nécessaires.

Le second piège est très subtil puisqu'il vous incite à viser la perfection. En voulant atteindre un niveau d'achèvement élevé durant la période de peaufinage des textes, vous risquez de ne jamais être satisfait. En réalité, ce désir ne fait que retarder l'heure de l'envoi et dissimule bien souvent une grande peur du rejet. Un des moyens d'atténuer cette crainte est de lui donner la permission d'exister. La nier n'entraînerait que l'amplification du malaise.

N'hésitez pas à demander l'opinion d'une tierce personne avant de vous aventurer dans un processus de correction interminable qui engendrera des doutes et des insatisfactions. De plus, ne corrigez pas votre texte de manière expéditive. Cette étape, réalisée avec sérieux et de manière décontractée, demeure essentielle et fondamentale dans tout travail d'écriture de qualité.

Conseil : mettre une touche personnelle

Puisqu'il y aura toujours des livres à écrire sur des sujets déjà traités, souvenez-vous que la publication d'un nouveau volume dépendra surtout de votre touche personnelle. Que ce soit sous forme de fiction, d'essai ou de guide, l'art de reformuler d'anciennes vérités relève de vos talents et de vos aptitudes créatrices. En jouant avec les idées et les métaphores de manière imaginative, vous susciterez un intérêt nouveau pour le sujet déjà traité.

À titre d'exemple, Jocelyne Robert, auteure du livre *Full sexuel, la vie amoureuse des adolescents*[1], a su combiner habilement le vocabulaire des jeunes avec les données psychologiques de la sexualité. En plus de concevoir un titre audacieux, elle a nommé ses chapitres de manière fantaisiste, amusante et humoristique. Éduquer sans faire la

1. Robert, Jocelyne. *Full sexuel : la vie amoureuse des adolescents*, Éditons de l'Homme, 2002.

morale et traiter un sujet sérieux sur un ton dégagé, mais instructif, voilà de la haute voltige d'écriture qui dénote le talent d'un bon auteur.

La touche personnelle implique une vision unique que personne ne peut reproduire à votre place. Chacun étant différent et possédant une manière unique de s'exprimer, il est préférable de ne pas chercher à imiter un écrivain réputé. Soyez original et spontané et vous verrez l'intérêt de l'éditeur se manifester pour votre style se démarquant de celui des autres.

Expérience de Nicole

Pour moi, l'étape de la révision générale passe par des émotions alternant entre le plaisir et la souffrance. Certaines étapes sont agréables et d'autres pénibles. La plus plaisante concerne la décision de déclarer le manuscrit achevé dans son contenu. Cette prise de conscience signifie que le travail d'écriture achève. La grossesse arrive à terme. Il ne reste plus que l'accouchement. Enfin, je vais voir la forme du bébé littéraire qui fut en gestation pendant de longs mois. Je dois alors fignoler les derniers détails pour qu'il soit beau.

L'aspect pénible de la révision finale concerne le contenant (la forme) et non le contenu (la recherche). Un nouveau défi se pointe alors: de nombreuses relectures exigeant une attention soutenue. Cela me demande une grande disponibilité intérieure et beaucoup de discipline personnelle. Au lieu de travailler par bribes à des moments choisis selon l'humeur du jour, la révision exige de moi une grande attention répartie sur une période de temps plus concentrée.

C'est généralement lors de la relecture que j'ajoute une touche personnalisée au texte. Le manuscrit ayant maintenant sa propre vie, c'est comme si je pouvais l'améliorer en bonifiant son apparence par des jeux de mots particuliers. Certaines connexions supplémentaires vont alors relier les chapitres entre eux afin de les harmoniser davantage.

Puis, la mise en forme finale, incluant les notes de bas de page et la bibliographie, met un terme à mon travail de rédaction. La satisfaction du travail accompli me comble enfin et m'incite ensuite à trouver un éditeur tout en sachant très bien qu'il y aura d'autres modifications en réponse aux conseils de ce dernier. Cette autre étape me plaît énormément, car le regard de l'éditeur et les suggestions d'un réviseur sont des atouts précieux pour l'amélioration du produit. Ces experts sont des complices inestimables pour faire du manuscrit inachevé un livre complet.

Expérience de Marilou

Tout au long de la période critique de la révision d'un manuscrit, la joie et la douleur se disputent sans cesse la première place en moi. J'éprouve d'abord un vif sentiment de satisfaction en voyant mon manuscrit fin prêt pour l'opération raffinement. Néanmoins, cette euphorie ne dure que quelques heures tout au plus. Ensuite vient la valse perpétuelle des émotions contraires : doute et certitude, réticence et confiance...

Lorsque je m'assois de nouveau devant l'ordinateur pour scruter mon texte, je découvre, Ô ma foi ! qu'il a besoin d'un bon bain : savonnage des idées, nettoyage de la syntaxe, rinçage du superflu et séchage du manuscrit (temps de recul et d'attente avant une nouvelle révision). Durant cette étape de polissage, mon cerveau rationnel prend la relève, balayant sans regret émotions et sentimentalité pour laisser place à la technicienne des mots.

Mon plus grand défaut est le peaufinage. Je traîne avec moi une petite peau de chamois symbolique et je frotte et frotte et frotte tellement les phrases qu'elles en perdent, à la longue, leur beauté et leur nuance. Je les érode au lieu de les embellir. Et comble d'ironie, malgré les mois passés à corriger mon texte, je reviens souvent à mes formulations de départ !

Lors de mes premiers écrits, je ne comptais pas les heures, penchée sur mon texte, à rechercher les erreurs, à ciseler les phrases, à peaufiner jusqu'au moindre détail les mots défilant les uns à la suite des autres, dans une confusion parfois la plus totale. Mon texte ressemblait davantage à un champ de bataille qu'à une trame intéressante illustrant mes idées et mes concepts. Je voulais tellement *bien écrire* que mes idées s'embrouillaient pour ne pas dire s'entortillaient comme des cheveux au vent.

L'apprentissage graduel de l'équilibre, le juste milieu, me permet aujourd'hui de me détendre davantage et de choisir ce métier non pas comme une course à relais, mais bien comme un plaisir à déguster un peu plus chaque jour. Mon texte n'a plus à franchir la ligne d'arrivée avec le plus beau style et la plus belle phraséologie. Il doit simplement exprimer, avec précision et poésie, le fond de ma pensée. Heu! Oui, oui. J'y travaille...

Chapitre 6

Le choix de l'éditeur

Un bon éditeur doit avoir plus d'auteurs dans ses fréquentations que d'éditeurs.

Florent Massot

Le manuscrit étant prêt, vous avez deux possibilités: vous prenez en charge l'édition ou vous proposez votre texte à un éditeur. Une édition à compte d'auteur suppose que vous assumez les frais de révision, de composition, de mise en pages, d'impression et de diffusion. Une publication dans une maison d'édition reconnue sous-tend que ces mêmes frais sont défrayés par l'éditeur.

Dans cette dernière optique, avant de choisir l'éditeur susceptible de publier votre livre, vous devez identifier le créneau dans lequel votre manuscrit pourra s'épanouir et porter ses fruits. Quel est votre genre littéraire? Votre type de registre ou style d'écriture? Le lectorat que vous ciblez?

Le genre d'écrit et le type de registre

Il existe différents genres d'écrits et types de registres. Ceux-ci permettent au lecteur de choisir ce qui convient le mieux à ses attentes et à ses intérêts personnels. Le genre de l'écrit s'applique :

- au roman (d'inspiration, historique, allégorique...) ;
- au recueil (nouvelle ou poésie) ;
- à l'essai (philosophique, politique, psychologique, etc.) ;
- au guide pratique (méthode ou compilation) ;
- au conte pour enfant ou pour adulte (histoire imaginaire comportant souvent des leçons de vie) ;
- à la nouvelle (récit plus court que le roman, présentant une dramatique simple et peu de personnages) ;
- à la biographie (témoignage d'un événement ou mémoires de la vie de quelqu'un).

Quant au récit, il peut être d'ordre :

- historique (met en relief un épisode ou une époque du passé) ;
- psychologique (analyse les émotions et les sentiments entre les personnages) ;
- policier (enquête sur un crime. Les polars sont des romans policiers) ;
- espionnage (intrigues portant sur l'observation secrète dans un autre pays) ;
- aventure (péripéties en pays étrangers et exotiques) ;
- science-fiction (aventures surréalistes, imaginaires, futuristes).

Il existe plusieurs sortes de registres (tonalités de l'écrit). Entre autres :

- le comique(humour, satire ou ironie) ;
- le romanesque (aspects sentimentaux de l'être humain) ;
- le fantastique (création de l'imaginaire) ;
- le féerique (fées, gnomes, lutins, etc.) ;
- le dramatique (action, suspense, affrontement) ;
- le mystique (surnaturel, religieux) ;
- le merveilleux (monde imaginaire et fantastique).

Dès que le genre d'écrit et le type de registre sont bien identifiés, vous êtes en mesure de passer à la prochaine étape.

L'envoi aux éditeurs

Une fois le manuscrit terminé, choisir le bon éditeur est capital pour maximiser les possibilités d'acceptation. Il est essentiel de choisir la maison d'édition en fonction de son créneau de publication, car rien ne sert d'envoyer un livre de recettes à un éditeur qui se spécialise dans le roman.

Cibler un bon éditeur consiste à effectuer des recherches. Pourquoi ne pas vous rendre en librairie, regarder la production, consulter les catalogues, poser des questions aux libraires ? Internet peut également offrir des informations pertinentes sur chacun des éditeurs, sur leurs exigences relatives aux manuscrits et au mode de transmission qu'ils privilégient. Prenez le temps de vous informer. L'éditeur désire-t-il un manuscrit sous forme de feuilles non reliées, préfère-t-il une disquette magnétique ou recommande-t-il un envoi par Internet de quelques chapitres seulement ?

La lettre d'introduction qui accompagnera votre envoi (obligatoire) devra comporter trois éléments essentiels : un résumé de votre manuscrit, les bénéfices anticipés pour le futur lecteur ainsi qu'un bref curriculum vitae.

Le temps de traitement des manuscrits varie d'une maison d'édition à une autre, soit entre trois et six mois. La décision du comité éditorial émettra alors une réponse positive ou négative. Si le manuscrit est refusé, la copie est retournée à l'auteur (ne pas oublier d'insérer, dans votre envoi, une enveloppe adressée à votre attention et suffisamment timbrée). En général, ce retour est accompagné d'une lettre dans laquelle sont présentés brièvement les motifs du refus. Lorsque le manuscrit est accepté, l'éditeur entre en contact avec l'auteur pour l'aviser de la bonne nouvelle. Dans un même souffle, il lui fera part des modifications qu'il devra apporter à son texte et il lui soumettra un contrat d'édition.

Afin de protéger vos droits d'auteur et d'éviter toute forme de plagiat, il est recommandé de poster, à votre adresse personnelle, une copie de votre manuscrit, sous sa forme finale, dans une enveloppe cachetée. Le sceau de la poste indiquera la date de la réception du colis et de ce fait, il attestera (du moins partiellement) la provenance et la paternité de ce texte. Ne l'ouvrez surtout pas. Rangez l'enveloppe dans un endroit sécuritaire. Pour la France, il suffit de déposer officiellement le manuscrit à la Société des Gens de Lettres (détails en annexe).

Un plagiat est une faute grave. L'auteur ou l'écrivain plagié se voit délesté du fruit de son talent au profit d'une personne qui, de toute façon, ne pourra jamais rendre à sa juste valeur le texte initial. C'est un vol, c'est un viol, c'est une usurpation d'identité... Pour obtenir plus d'information sur la propriété intellectuelle, voici quelques organismes importants à consulter :

- L'office de la Propriété Intellectuelle du Canada;
- L'Association canadienne des réviseurs;
- La Commission du droit d'auteur du Canada;
- L'Union des écrivaines et écrivains du Québec (UNEQ);
- Copibec (Société québécoise de gestion collective des droits de reproduction);

Pièges à éviter: douter de soi et agir avec empressement

Dans l'empressement de voir leur livre publié, certaines personnes risquent de tomber dans le piège des doutes: de soi, de son travail, du futur éditeur, etc. Faire disparaître les incertitudes ne relève pas de la magie. Reconnaître ses craintes est une première étape. L'autre phase consiste à augmenter sa confiance personnelle. Mince affaire, nous direz-vous! Il existe pourtant de très bons livres sur le sujet; n'hésitez pas à les consulter si votre confiance frôle la barre du zéro. Dans le monde de l'édition, même les personnes les plus timides doivent travailler cet aspect d'elles-mêmes si elles veulent survivre aux conférences, salons, expositions, signatures, etc.

D'autre part, évitez de tomber dans le piège de vouloir être publié au plus vite en acheminant votre manuscrit à un éditeur, ami ou inconnu, sans vraiment connaître ses forces ni ses faiblesses. Vous risquez peut-être d'être déçu. Il est préférable d'opter pour des maisons reconnues et d'attendre patiemment celle qui manifestera le plus grand intérêt pour votre manuscrit.

Conseil: développer une attitude de confiance

Pour bien vivre cette étape du choix d'un éditeur, développez une attitude de confiance. Ayez la certitude que votre livre mérite d'être lu. Grâce au temps et à l'énergie investis dans votre projet, vous possédez réellement des chances que votre manuscrit devienne un magnifique volume.

Développer une attitude de confiance ne signifie pas faire l'autruche. Si vous cachez votre tête dans le sable pour éviter de considérer la réalité d'un refus, la blessure de l'échec risque d'être amplifiée. Envisager la réussite tout en pratiquent le discernement est une attitude idéale.

Expérience de Nicole

Pour mon premier livre, après avoir fait cinq envois à différentes maisons d'édition, j'ai eu la chance de recevoir plusieurs propositions. Il ne me restait qu'à rencontrer chaque éditeur et à choisir celui qui convenait à mes attentes.

Cependant, pour la publication de mon deuxième livre, qui s'adressait aux enfants, j'ai dû composer avec cinq refus sur cinq envois. Échec total! Ce fut un moment pénible accompagné d'une grande déception et d'une forte envie de tout laisser tomber.

Par la suite, malgré une hésitation à m'y remettre, je me suis branchée sur mon intention initiale, celle d'aider les parents à composer avec les cauchemars de leurs enfants. Je me suis alors dit que je ne devais pas abandonner mon projet. Habitée d'une nouvelle vague d'espoir, j'ai d'abord embelli mon manuscrit en ajoutant des illustrations réalisées par une artiste.

J'étais heureuse de la payer, car elle avait fait un travail qui rehaussait le contenu du manuscrit. Puis, j'ai recommencé la ronde de nouveaux envois. Cette seconde tentative fut la bonne. Un éditeur s'est montré intéressé et m'a proposé d'essayer une nouvelle formule de présentation : un livre audio accompagné d'une série de jolies cartes que l'enfant pourra choisir avant d'aller dormir. C'était génial ! De plus, ce produit devenait même plus utile et attrayant pour les enfants, car il faisait appel au jeu.

Quel soulagement ! Mon deuxième « bébé » allait vivre. Je venais alors d'expérimenter ce que Paolo Cœlho appelle : « l'épreuve du conquérant ».

Expérience de Marilou

Deux éditeurs ont accepté de publier mon premier manuscrit. Puisqu'il s'agissait de maisons d'édition importantes au Québec, je devais choisir laquelle serait la plus appropriée pour le genre d'écrit que je proposais. À leur requête, je les ai rencontrés à tour de rôle.

Le premier éditeur désirait publier mon ouvrage, mais à la condition de retirer de mon texte des informations spécifiques portant sur les rêves lucides. Selon lui, elles seraient trop dérangeantes pour le public visé. Ne voulant pas accéder à cette demande, je me suis tournée vers le second éditeur. À mon grand étonnement, non seulement il ne changeait rien à mon manuscrit, mais il désirait le publier dans les plus brefs délais.

Un an plus tard, me sentant en dette envers lui, je lui ai soumis un premier roman qu'il achemina aussitôt sur le chemin de la publication. Aujourd'hui, plusieurs maisons d'édition publient mes livres et je suis fort reconnaissante aux éditeurs qui me font confiance.

Chapitre 7

L'attente de la réponse

> *...les réponses ne viennent pas toujours quand elles le devraient, et il arrive même souvent que la seule réponse possible soit de rester simplement à les attendre.*
>
> José Saramago

L'attente d'une réponse, quelle qu'elle soit, comporte toujours deux pôles: l'attente paisible ou l'attente anxieuse. Vous n'avez pas le choix. Une fois le manuscrit envoyé, vous devez patienter avant de recevoir la ou les réponses des maisons d'édition - selon le nombre d'envois effectués. Chaque éditeur a sa propre façon de confirmer la réception d'un texte. Certains vous font parvenir un accusé de réception, d'autres confirment son arrivée par un appel téléphonique. Les délais de confirmation varient généralement entre trois et six mois.

Durant le processus d'évaluation, votre manuscrit passera entre différentes mains. Normalement, il est lu par un comité de lecture formé de quelques personnes, qu'il s'agisse d'auteurs, de spécialistes ou même de l'éditeur. Si le manuscrit a capté positivement l'attention du comité de lecture, il peut se diriger en deuxième lecture.

Malgré l'acceptation de votre manuscrit par le comité de lecture, le directeur littéraire peut se réserver le droit de le refuser ou de l'accepter, en dépit du rapport qui lui est remis. Sa décision se base alors sur une vision globale ayant trait aux perspectives de vente. « Les statistiques sur le taux d'acceptation des manuscrits sont trompeuses. Elles n'indiquent qu'une moyenne qui, de fait, ne veut pas dire grand-chose. En général, les éditeurs publient un manuscrit sur dix. Évidemment, si vous pouviez obtenir un engagement, même moral, de l'éditeur à publier un manuscrit qui serait conforme à certaines spécifications, vos chances de le voir accepté s'en trouveraient augmentées d'autant.[1] »

L'attitude du lâcher-prise

Puisque l'étude de votre manuscrit peut varier de quelques semaines à quelques mois, la meilleure attitude à adopter durant cette période d'attente est celle du lâcher-prise. Votre manuscrit a une mission particulière et quelqu'un saura reconnaître sa valeur et sa pertinence.

Lorsque les réponses d'éditeurs vous arrivent et qu'elles sont négatives, ne vous laissez pas abattre. Il est possible que votre manuscrit nécessite une relecture et une révision en profondeur. Si votre défi de publication

1. Union des écrivains québécois, *Le métier d'écrivain, guide pratique*, Boréal, 1988, p. 20.

est toujours aussi intense, prenez cette indication davantage comme un défi plutôt qu'un échec.

La persévérance

Dans l'hypothèse que tous les éditeurs contactés expriment un refus, vous devrez, en toute humilité, penser à effectuer des modifications. Il pourrait être utile de changer la forme actuelle de votre manuscrit en révisant le travail accompli. Relisez d'abord attentivement chaque lettre reçue afin de comprendre le pourquoi de cette fin de non-recevoir. Les raisons peuvent être variables :

- « le sujet ne convient pas à notre politique éditoriale » ;
- « ce genre de récit spécifique a déjà été publié par notre maison d'édition » ;
- « votre manuscrit ne rencontre pas les normes de qualité rédactionnelle » ;
- « le plan d'ensemble et le développement de votre idée ne sont pas clairs » ;
- « votre style est trop littéraire, trop didactique (ou le contraire, pas assez) ».

Une fois l'évaluation effectuée, quatre éventualités s'offrent à vous. La première consiste, selon la raison du refus, à ne pas apporter de modifications à vos écrits, mais plutôt à contacter d'autres maisons d'édition susceptibles d'accueillir votre projet. La seconde est de mettre à profit les commentaires et les suggestions des éditeurs pour améliorer votre manuscrit avant de le présenter à de nouveaux éditeurs. La troisième est de le remiser sur une tablette avec l'intention de peut-être y revenir un jour. Sait-on jamais, vos écrits sont possiblement en avance sur votre temps ? Enfin, voici une dernière avenue : celle de publier à compte d'auteur. Vous devenez alors votre propre éditeur et vous prenez la responsabilité de toutes les étapes de la production de votre livre.

Il y a des avantages et des inconvénients à ce choix. Parmi les bénéfices, vous aurez la certitude que votre livre sera publié et offert au grand public. De plus, vous aurez droit de regard sur les éléments suivants: le type de mise en pages, l'illustration de la page couverture, le moment de la publication, etc. En revanche, un investissement important de temps et d'argent est à prévoir. Une incertitude peut également régner en ce qui a trait à la diffusion de votre livre en librairie et vous devrez débourser une certaine somme d'argent pour la promotion et la publicité. Des aptitudes d'entrepreneur sont requises pour bien gérer ce travail. La personne qui choisit, malgré tout, de publier à compte d'auteur, vivra une aventure qui pourra s'avérer fort intéressante et enrichissante.

Pièges à éviter : s'emballer trop vite ou se dénigrer à cause d'un refus

Vous espérez ardemment que votre livre soit publié ? Même s'il est permis d'entretenir l'espoir, le dépôt de votre manuscrit chez un éditeur ne signifie pas qu'il soit en route pour une publication certaine. La partie n'est pas encore terminée ni même gagnée. N'avancez pas les pions sur l'échiquier avant que votre tour survienne. Vous risquez de faire un faux mouvement et de perdre la partie.

Nombre d'auteurs en herbe pensent ou affirment allègrement que leur livre sera le meilleur à être édité dans leur créneau. Rien n'est moins assuré. Tels des funambules inexpérimentés, ils marchent sur le fil précaire de l'illusion. Tôt ou tard, ils risquent de perdre pied et de tomber de haut devant la réalité d'un refus. Et qu'est-ce qui fait plus mal qu'une blessure physique? Sûrement un amour-propre froissé. Cela dit, il est possible que votre manuscrit soit un petit chef-d'œuvre et qu'il soit accepté rapidement. Une attitude humble et modeste demeure tout de même essentielle pour la bonne suite des opérations.

Votre valeur d'écrivain n'est pas tributaire de la réponse d'un éditeur. Malgré un ou plusieurs refus, vous pouvez poursuivre votre route dans le domaine de l'écriture. Ne vous laissez pas abattre. Croyez en votre talent sans pour autant dénigrer ou condamner les éditeurs qui ont refusé de publier vos écrits. Ils ont leurs raisons. Cherchez d'autres maisons d'édition qui croiront en vous et en votre œuvre et qui disposeront d'une place de choix dans leur grille de production.

Conseil : pratiquer l'humilité

L'humilité? Mais pourquoi? Parce que l'arrogance, l'orgueil et la vanité ne mènent nulle part. L'attitude et le comportement trahissent mieux que mille et une paroles le tempérament de quelqu'un. Certes, une personne condescendante ou suffisante verra son manuscrit publié si ce dernier est valable, original et instructif. Cependant, son comportement risque d'indisposer l'éditeur qui sera peu enclin à voir ce nouvel écrivain s'exhiber sous sa bannière devant les journalistes et les chroniqueurs.

Pratiquer l'humilité ne signifie pas se placer en état d'infériorité par rapport à une personne ou une situation. Il s'agit plutôt de développer une attitude modeste, simple et flexible. Dans son livre *Les quatre accords toltèques*, Don Miguel Ruiz souligne: «Quoi qu'il arrive, n'en faites pas une affaire personnelle » et surtout « Ne faites pas de suppositions[1] ». Donc, demeurez confiant et optimiste. Durant l'attente de la réponse des éditeurs, ne vous créez pas de scénarios intérieurs du genre série noire. En revanche, s'il advenait que la réponse soit négative, adoptez une attitude de combattant. Poursuivez quand même votre démarche en tenant compte toutefois des conseils des éditeurs.

Expérience de Nicole

Même si j'ai eu la chance de recevoir un appel téléphonique encourageant en provenance d'un éditeur quarante-huit heures après l'envoi de mon premier manuscrit, alors que je l'avais fait parvenir à cinq éditeurs, deux refus m'ont mise à l'épreuve. Un sentiment de rejet avait réussi à placer un nuage d'ombre sur la joie d'avoir trouvé preneur.

Avec les manuscrits subséquents, j'ai parfois connu de longues semaines d'attente. La patience et le lâcher-prise m'ont aidée à mieux vivre ces moments éprouvants.

Différentes aventures m'ont aussi fait vivre la souplesse et le détachement à cause de certains compromis. Ce fut le cas lorsque la date de publication de l'éditeur choisi étant trop tardive, j'ai dû opter pour

1. Ruiz, Don Miguel. *Les quatre accords toltèques*, Jouvence, 1999, p. 54 et 66.

une autre maison d'édition. En plus de bénéficier d'un délai de production du livre plus court, ce deuxième choix m'a permis d'être invitée au Salon du livre de Paris en tant que conférencière.

Une autre fois, le contenu n'étant pas rédigé selon les attentes de l'éditeur, j'ai présenté mon manuscrit ailleurs où il fut accueilli avec joie. Tout ceci me faisait réaliser que chaque livre trouve sa propre niche. Des synchronicités font en sorte que le refus d'un détail peut être le signe d'accepter un changement qui se révélera bénéfique à long terme.

J'ai eu aussi à vivre la grande tristesse de voir un de mes livres « condamné à mourir », c'est-à-dire de recevoir l'annonce qu'il ne serait plus réédité. La première fois que cela m'est arrivé, je vous avoue avoir pleuré à chaudes larmes. Comme la nuit porte conseil (je l'ai expérimenté tant de fois), je savais que le lendemain, je trouverais une solution à mon dilemme. En effet, comme mon livre n'était pas une œuvre de fiction ne pouvant être remaniée, il suffisait de faire subir une cure de rajeunissement à ce condamné à mort. En insérant des mises à jour des dernières découvertes scientifiques sur le sujet et en ajoutant quelques chapitres, je lui redonnai un second souffle. Il ne me restait qu'à l'offrir à un nouvel éditeur heureux d'accueillir cet ouvrage qui avait fait peau neuve. Quel soulagement !

Expérience de Marilou

Après l'envoi de mon premier manuscrit, j'ai attendu longtemps la décision finale des éditeurs. Huit réponses sur dix me sont parvenues par courrier avec un contenu d'une froideur déconcertante. Chacune d'elles débutait par la même phrase: «Nous sommes au regret de vous informer que votre manuscrit a été refusé...»

Combien de nuits blanches ai-je passées à tourner comme une toupie dans un lit d'amertume? Malgré les deux réponses positives subséquentes, les refus retinrent davantage mon attention puisqu'ils venaient jouer sur la corde sensible de ma piètre estime de moi-même. Une remise en question me permit tout de même de retrouver une perception plus juste de ma valeur en tant qu'écrivaine. Ne serait-ce que pour cette prise de conscience ces rejets valaient la peine d'être vécus.

Après la parution de mon premier livre, les portes de quelques maisons d'édition se sont ouvertes devant moi comme par enchantement. Chance? Concours de circonstances favorables? Je ne sais trop. Aucun de mes manuscrits ne fut refusé par la suite. En revanche, j'ai dû vivre d'autres formes d'attente...

Jules Renard a dit: «Si on bâtissait la maison du bonheur, la plus grande pièce en serait la salle d'attente.»

Dans cet espace inconfortable, cette salle aux murs sombres, j'ai passé un temps fou, assise sur un divan, à anticiper, cette fois-ci, la réaction des lecteurs et des journalistes. Ces expectatives, il va sans dire, se nourrissaient de mes doutes, de mes peurs, de mes angoisses et de mes sabotages intérieurs.

Il faut posséder des nerfs solides, s'endurcir ou bien guérir la part de rejet en soi pour affronter la critique. J'avoue avoir encore beaucoup de maturité à acquérir avant de pouvoir dire: «Advienne que pourra; je suis fière de mon livre, peu importe l'opinion publique.»

Partie 3

LA PUBLICATION

Chapitre 8

Le contrat

Le problème du contrat, c'est de savoir sur quoi il repose.

André Glucksmann

Enfin, votre manuscrit est retenu par un éditeur. La dernière étape, et non la moindre, demeure la signature du contrat d'édition. Qu'elles sont les meilleures manières de procéder ? Consulter un avocat pour vous aider à en comprendre les différentes clauses ? Contacter un auteur ou un expert dans l'édition et lui poser des questions ?

Au Québec, l'Union des écrivains et écrivaines du Québec (UNEQ) a pour mission d'informer et de protéger les auteurs. À votre demande, cet organisme peut vous faire parvenir un contrat type que vous pourrez comparer avec celui qui vous est proposé. Vous serez en mesure de vérifier la ressemblance et l'exactitude des différentes clauses inscrites dans votre contrat et de les modifier, au besoin, avec votre éditeur.

Les clauses

Voici, en bref, les principales clauses à vérifier avant de signer votre contrat avec un éditeur :

- le tirage ;
- la cession de droits à l'éditeur ;
- la cession de droits en d'autres langues et d'autres pays ;
- la durée du contrat ;
- les redevances.

À la signature d'un contrat d'édition, la première clause à prendre en considération est la *cession de droits.* Il importe de la scruter attentivement, car dès l'instant où vous apposez votre signature, vous remettez à l'éditeur l'entièreté des droits d'exploitation de votre manuscrit (durant une période déterminée), c'est-à-dire les droits de le traduire, de l'imprimer et de le vendre.

La clause portant sur le *tirage* concerne le nombre de volumes à imprimer ; il varie selon les pronostics de vente de la maison d'édition. Les œuvres poétiques sont généralement imprimées à environ trois cents exemplaires, alors que le tirage des livres *grand public,* varie entre mille cinq cents et trois milles copies. Parfois, ce nombre peut atteindre plus de cinquante mille ou plus si l'auteur est une personne célèbre et de renommée internationale. Tout dépend alors du sujet traité et de la réputation de l'auteur. À noter que le tirage sera discuté avec l'éditeur, car depuis quelques années, il est très facile de réimprimer un livre rapidement. Le tirage initial prévu par un éditeur n'est évidemment pas lié à son espérance de vente, mais plutôt une façon de gérer ses inventaires. Certains éditeurs évitent alors d'indiquer le tirage initial dans le contrat.

Un autre facteur joue dans la décision du nombre de livres à imprimer: la collaboration de l'auteur dans la vente du livre. Certains éditeurs apprécient de recevoir une lettre assez explicative sur les intentions de l'auteur et l'importance de son implication reliée à la vente de son livre.

Au Québec, un livre devient *best-seller* lorsque la vente dépasse trois mille exemplaires. Évidemment, des auteurs reconnus pourront voir leur tirage porté à cent mille copies. Nous pouvons toutefois compter sur les doigts de la main ces succès de librairie. En Europe et aux États-Unis, à cause d'un bassin de population beaucoup plus grand, rares sont les volumes imprimés à moins de dix mille copies. Le tirage peut même atteindre cinquante à cent mille exemplaires pour certains auteurs célèbres. Évidemment, ces chiffres sont énormes en comparaison de ceux des maisons d'édition du Québec, beaucoup plus modestes en raison d'une clientèle moins substantielle.

Chaque contrat d'édition comporte une clause sur la *cession de droits en d'autres langues et d'autres pays.* Ces droits étrangers doivent être préalablement discutés avec votre éditeur afin de vous éviter de désagréables surprises. La cession de droits *en d'autres langues* signifie que vous remettez à la maison d'édition le droit de publier votre livre en d'autres langues que le français, par exemple: l'allemand, l'espagnol, l'italien, etc. La cession de droits *en d'autres pays* donne à votre éditeur le droit de traduire ou de reproduire votre livre dans une autre langue et même sous une autre forme dans d'autres contrées que celle de votre pays d'origine. Dans les deux cas, l'auteur recevra la moitié des revenus perçus par l'éditeur sur la vente des droits étrangers (à moins d'une entente différente entre les trois parties en cause : l'auteur, l'éditeur canadien et l'éditeur du pays étranger).

Ce contrat possède également une *durée* de vie. Celle-ci varie d'un éditeur à l'autre. En principe, elle ne dépasse jamais dix ans. Pour toute raison valable, il vous faudra attendre ce laps de temps avant de récupérer vos droits (à moins que votre éditeur accepte de vous les rétrocéder avant terme ou à moins que le livre soit épuisé). Les auteurs qui désirent récupérer leurs droits avant l'échéance de leur contrat le font souvent parce qu'ils sont insatisfait en ce qui a trait à la promotion du produit, parce qu'ils ne désirent plus voir leur livre sur les tablettes pour des raisons personnelles ou parce qu'ils sont déçus de la performance de vente de leur livre en librairie. Les raisons varient d'un auteur à un autre.

Les redevances (ou droits d'auteurs) qui sont payées à termes fixes, représentent le montant d'argent découlant de la vente de vos livres. Généralement, elles sont remises en pourcentage, selon un calcul de vente établi sur chaque exemplaire. Ce montant minimum est établi à 10 % du prix de vente en librairie. Cependant, certains éditeurs vont plutôt proposer des redevances « sur les sommes nettes réellement perçues ». Ce qui veut dire « le prix de détail moins la remise du distributeur » (entre 45 à 40 %). L'auteur reçoit alors entre 4 % et 4,5 %. Il est donc important de vérifier ce détail au moment de la signature.

Ce pourcentage (généralement 10 %) est applicable pour tous les formats de livres, sauf pour ceux de poche où le taux minimal est habituellement de 8 %. Un pourcentage supérieur peut être consenti si votre volume connaît beaucoup de succès et qu'il est réimprimé une ou plusieurs fois. Quant aux livres couleur, ils peuvent débuter à 6 %. Il importe de prendre note qu'aucune redevance ne sera remise à l'auteur pour les livres servant à la promotion et ceux qui seront détériorés, invendus ou pilonnés.

La négociation

Même si l'ensemble des clauses vous satisfait, osez négocier certains points avant de signer votre contrat :

- le nombre d'exemplaires gratuits remis à la première impression ;
- les frais de déplacement pour les séances de signature à l'extérieur ;
- les droits subsidiaires ;
- la mévente.

À la première impression, vous pouvez demander entre dix et vingt-cinq exemplaires gratuits de l'ouvrage pour un tirage de 1500 copies. Au-delà de ce nombre, une autre entente devra être négociée avec l'éditeur. Par la suite, il est possible d'acheter de l'éditeur, et selon l'entente de départ, des exemplaires pour votre usage personnel. Ceux-ci peuvent être vendus ou donnés lors de vos activités publiques (conférences, ateliers, etc.).

Le contrat doit comporter des clauses concernant les droits subsidiaires telle : l'adaptation cinématographique, théâtrale, visuelle ou sonore... de votre livre). Les sommes d'argent perçues lors de telles transactions sont préalablement fixées avant la signature du contrat.

Lors de séances de signature à l'extérieur de votre région (salons du livre, expositions, conférences...), l'éditeur peut défrayer une partie de vos dépenses en vous donnant une indemnité forfaitaire pour vos déplacements, vos frais d'hébergement et de nourriture. Les tarifs varient d'une maison d'édition à l'autre. Généralement, seules les grandes maisons d'édition offrent cette clause.

La clause sur la *mévente* stipule que l'éditeur peut choisir de retirer du marché les livres qui ne se vendent pas pour les pilonner ou les revendre au prix du gros à des soldeurs. Certes, aucun auteur ne souhaite une mévente. Toutefois, cette situation peut survenir un an ou deux après la publication de l'ouvrage. L'éditeur devra, dans un premier temps, vous offrir (par écrit) d'acheter tout l'inventaire (ou une partie) pour une somme inférieure à la vente au détail. Si vous refuser d'acheter l'inventaire partiellement ou totalement, l'éditeur doit quand même vous payer des redevances sur le prix de solde, sauf si ce dernier est inférieur au prix coûtant. En bout de ligne, l'éditeur peut choisir de pilonner les livres, c'est-à-dire de détruire les volumes qui ne trouvent pas preneurs.

Pièges à éviter : signer sans lire les clauses et manquer d'information

La joie d'être accepté par un éditeur et la hâte de voir votre livre en librairie peut vous conduire à un engagement précipité. Prenez le temps de réfléchir aux différentes offres et consultez une personne ressource. Une signature apposée trop rapidement sur un contrat risque de vous occasionner bien des soucis et des surprises désagréables.

N'hésitez pas à contacter des organismes de protection ou des spécialistes pour vous renseigner sur vos droits. Aujourd'hui, avec Internet, bien des sources d'information sont disponibles pour vous aider à cheminer dans le monde de l'édition. Des organismes existent à cet effet: l'Union des écrivains et écrivaines du Québec (UNEQ) et la Société des gens de Lettres (S.G.D.L.), en France (voir annexe 1).

Conseil : adopter la vigilance

La consultation d'un avocat expert dans le domaine de l'édition et des droits d'auteurs est de mise si certains points de votre contrat vous semblent obscurs. En revanche, sachez qu'un éditeur possède, bien souvent, de longues années d'expérience. Nul doute qu'il vous offrira un contrat équitable. Vigilance ne veut pas dire méfiance, mais bonne information, discussion et entente mutuelle.

Retenir les services d'un avocat lors de la signature de votre contrat peut indisposer votre éditeur. Obtenez de votre éditeur potentiel la permission d'apporter chez vous le contrat dûment rédigé. Vous pourrez alors réfléchir sur les clauses de l'entente et rencontrer votre avocat, si nécessaire, afin qu'il vous explique certains points obscurs ou incertains.

Expérience de Nicole

Lors de la signature de mon premier contrat d'édition, je ne connaissais aucun auteur susceptible de me conseiller. Je me sentais complètement perdue dans cette jungle de mots qui définissaient les nombreuses clauses. Mais l'éditeur étant une personne honnête et connue, je me suis permis de lui faire confiance et je n'ai pas été déçue.

En général, j'ai été choyée dans mes négociations avec les éditeurs. Dans la plupart des cas, une bonne communication a favorisé une entente agréable et le goût de poursuivre notre collaboration mutuelle.

J'ai eu aussi le privilège d'être sollicitée par d'autres maisons d'édition pour de nouveaux manuscrits. Comme je crois fermement que chaque livre trouve sa niche, je sais que chaque demande arrive au moment opportun. Je me laisse ainsi guider par les synchronicités : le bon livre au bon moment et à la bonne place.

Un point non négligeable : chaque éditeur possède sa propre clientèle. Si le livre leur plaît, ces nouveaux lecteurs sont susceptibles d'acheter les autres livres publiés ailleurs. Ainsi, la roue tourne pour tout le monde : l'auteur est lu, l'éditeur vend et le lecteur découvre de nouveaux livres. Chacun y trouve son compte.

Expérience de Marilou

Tous mes contrats d'édition, Dieu merci, se sont soldés par des ententes à l'avantage des deux partis, sans heurts ni grincements de dents. Les clauses étant claires, je ne pouvais qu'y adhérer en apposant ma signature en bas de page. Cela dit, je me souviens de mon premier contrat d'édition comme si c'était hier, car ma crainte ne concernait pas nécessairement les subtilités des clauses (je les avais passées à la loupe), mais les résultantes à long terme d'une telle signature.

Assise comme une couventine devant l'éditeur, réservée, les mains moites, le cœur battant, l'esprit nerveux, je tentais de me composer une façade d'assurance. De quoi avais-je peur? J'allais signer un contrat qui soulignerait mon entrée dans le monde de l'édition. Je deviendrais officiellement écrivaine, rêve que je caressais depuis fort longtemps. Alors pourquoi cette tension?

Je venais de découvrir, affichée sur le mur de cette victoire personnelle, une zone d'ombre: la peur du succès. (Eh oui! cette peur existe tout autant que la peur, de l'échec et son impact est aussi virulent). En réalité, j'avais surtout peur de ce que le succès entraînerait dans son sillage: sorties publiques, présence dans les médias, conférences... Ma nature sauvage se cabrait déjà devant cette perspective. Mon contrat ne disposait d'aucune clause stipulant qu'une porte de sortie existait si la peur venait à se pointer le bout du nez. Et elle était là, flagrante, se faufilant dans les coulisses de mon esprit durant notre discussion portant sur la cession de droits et les redevances.

Cette insertion de pensées discordantes au cœur de pourparlers cruciaux ne représente certainement pas le meilleur état d'esprit pour un auteur cherchant à négocier un contrat d'édition. Heureusement, il s'agissait d'un éditeur consciencieux et digne de confiance. Je n'ai donc pas subi les conséquences regrettables qu'aurait pu avoir cette montée d'émotions sur la teneur du contrat. Toutefois, j'ai réalisé qu'un esprit lucide, calme et en contrôle permet d'éviter des erreurs coûteuses et irréparables lors de rencontres décisives.

Chapitre 9

La publicité

Dans le monde contemporain, le succès est dans une large mesure créé et mesuré par la publicité.

David Lodge

Pour permettre à votre livre d'atteindre un large public, la publicité doit tenir une place prépondérante dans votre plan de commercialisation. Il ne suffit pas seulement d'écrire un livre intéressant comportant une page couverture des plus invitantes et un titre accrocheur. De concert avec l'éditeur, vous devez aussi mettre sur pied une bonne publicité, c'est-à-dire cibler des médias d'information qui, par leurs interventions spécifiques, inciteront les lecteurs à acheter votre volume. La publicité est essentielle pour faire connaître votre produit. Un livre qui demeure sur les tablettes du libraire, faute de publicité et de visibilité, représente une perte déplorable.

L'engagement de l'éditeur

Afin d'assurer une mise en marché idéale, l'engagement de l'éditeur est primordial. Non seulement il effectuera un travail d'édition et de correction sur votre texte (en plus de l'imprimer), il verra aussi à sa diffusion. Selon le budget alloué à la promotion du livre, la mise en marché variera de passable à excellente. À de rares exceptions près, plus la maison d'édition est importante et solide, plus les budgets consacrés à la publicité sont élevés. L'éditeur expérimenté, soucieux de promouvoir et de vendre son produit, connaît exactement les gestes à poser pour rendre le livre accessible et visible. Il accueillera également avec joie vos suggestions et projets de promotion. Par exemple, si vous croyez que l'insertion d'une annonce dans un magazine particulier décuplera vos chances de faire connaître votre livre, votre éditeur retiendra sans doute votre suggestion. Sachez toutefois que pour convaincre un libraire de mettre un livre sur les tablettes, il doit être informé de la visibilité médiatique dont bénéficiera l'auteur et son ouvrage ; il peut s'agir d'une émission de radio, de télévision, d'un événement social, etc.

Notons que les exceptions à la règle existent et que certains livres ont tout de même obtenu un franc succès (plus de 3 ou 4 mille exemplaires vendus) sans que l'auteur apparaisse dans les médias ou que son livre soit publicisé. Le *bouche-à-oreille* accomplit parfois de petits miracles. Ces exemples sont là pour défier toutes les théories. Selon certains éditeurs, le plus difficile c'est de vendre les 1000 premiers exemplaires.

L'argent investi par une maison d'édition dans la mise en marché est proportionnel au potentiel de vente du livre. Chez la plupart des éditeurs, le montant alloué est de 1 à 2 % des revenus projetés.

La responsabilité de l'auteur

Habituellement, l'éditeur joue les premières cartes pour favoriser la vente du livre. Par la suite, l'auteur doit veiller à sa plus grande visibilité afin de lui assurer une longue et prospère vie.

Les responsabilités de l'auteur quant aux choix promotionnels (basés sur les besoins des consommateurs) sont, bien sûr, laissées à sa discrétion. Il pourra investir dans l'achat de publicité dans les médias (journaux, magazines, radio, télévision, etc.) qui favoriseront l'expansion de son produit. Il importe de travailler en étroite collaboration avec l'éditeur pour créer un impact plus grand auprès du public. Il existe cependant d'autres moyens moins coûteux pour stimuler la vente de votre volume :

- participer à des séances de signature ;
- contacter les médias locaux pour annoncer la récente parution du volume ;
- faire de la promotion auprès des groupes sociaux ;
- écrire une chronique dans les magazines ou les journaux ;
- organiser des soirées de discussion sur le thème du livre ;
- donner des conférences en rapport avec le sujet traité ;
- créer des ateliers ;
- diffuser l'information par des amis et des connaissances.

Les séances de signature sont une excellente façon de vous faire connaître. Que ce soit lors d'un salon du livre ou dans une librairie locale, votre présence incitera les gens à s'arrêter pour consulter votre volume et peut-être même, vous poser des questions. Rencontrer un auteur suscite toujours un grand intérêt pour le lecteur. De plus, s'il achète votre volume, il obtient une dédicace à son nom et il repart avec un livre personnalisé.

Il existe plusieurs formules de dédicaces :

- trouver une expression unique ;
- écrire quelques phrases adaptées aux personnes connues ;
- composer un court texte différent pour chaque personne en vous fiant à l'inspiration du moment.

Un autre moyen efficace de metre en valeur votre livre est de contacter le journal de votre quartier et la télévision communautaire. Ces médias sont souvent à la recherche d'événements spéciaux conçus par les membres d'une collectivité. Lorsqu'un auteur d'une région locale lance son premier ouvrage, l'événement reçoit une couverture médiatique parfois fort intéressante. De plus, en participant à une ou plusieurs activités locales, vous obtenez l'opportunité de promouvoir votre livre. Les organisateurs et leurs membres sont habituellement très fiers de compter un auteur parmi eux.

Afin de maximiser votre visibilité, vous pouvez également offrir une chronique dans un ou plusieurs médias écrits. Un texte de 300 à 1000 mots, traitant d'un sujet connexe à votre livre, constitue une chronique. Les éditeurs de journaux et de magazines ont souvent besoin de textes de fond pour combler les espaces vides. Il suffit de leur offrir un article et de l'ajuster au public ciblé. Vous pouvez effectuer une proposition de texte et l'écrire par la suite ou bien envoyer un article déjà rédigé dans le but de l'inclure dans un numéro subséquent. N'oubliez pas d'indiquer la référence de votre livre à la fin de l'article. En devenant un chroniqueur attitré, vous obtenez normalement une publicité gratuite dans une des pages du magazine ou du journal.

Si vous possédez des habiletés de communicateur, trois autres options s'offrent à vous :

– organiser des rencontres d'échange et de discussion sur le thème du livre ;
– donner des conférences sur votre sujet ou sur d'autres points d'intérêt commun ;
– animer des ateliers.

Même si vous n'êtes pas un grand orateur, grâce à ces rencontres ou formations, vous développerez vos talents et améliorerez votre capacité de communication.

Puisque tout le monde ne maîtrise pas l'art oratoire, la publicité payante s'avère une autre solution intéressante pour faire connaître votre livre. Un budget adéquat et un plan stratégique constituent des atouts majeurs. Selon vos moyens financiers, optez pour l'une de ces deux approches différentes : une annonce importante publiée à quelques reprises dans un journal ou un magazine ou bien une petite réclame insérée plusieurs fois dans ces mêmes médias écrits. L'aide d'un spécialiste en publicité peut se révéler nécessaire pour agir judicieusement. Bien que les résultats de cette démarche semblent peu probants dans l'immédiat, vous obtiendrez des retombées intéressantes à long terme. « Patience et longueur de temps font plus que force ni que rage » affirme le dicton de la Fontaine (*Le lion et le rat*).

Peu importe la forme de la publicité choisie, préférez les périodiques ayant un lectorat ciblé. À titre d'exemple, les magazines de santé sont un moyen de promotion idéal pour un livre traitant d'alimentation vivante. Si votre thème est l'éveil spirituel, arrêtez votre choix sur des revues traitant de croissance personnelle. Le gros bon sens, jumelé à votre intuition, sera un excellent guide pour faire les meilleurs choix.

Pièges à éviter : avoir trop d'attentes et rester passif

Habituellement, c'est la complicité et les efforts des trois partenaires : auteur, éditeur et distributeur qui permettent au livre de connaître une réussite.

Chaque personne possède des talents uniques pour promouvoir son volume. Osez donner un coup de main dans la promotion et la diffusion de l'ouvrage. Grâce à votre créativité et à votre originalité, des portes s'ouvriront et vous accéderez à un marché plus élargi. Ne restez pas dans l'attente ni la passivité. Affirmez-vous et avancez confiant sur le chemin du succès.

Conseil : être audacieux

Afin d'offrir plus de visibilité à votre livre, il est essentiel de développer votre audace. En prenant des risques calculés, vous réveillerez l'esprit d'aventure qui sommeille en vous et les résultats ne pourront qu'être concluants.

Wayne Dyer, auteur américain bien connu ayant plus de vingt ouvrages à son actif, a investi beaucoup de temps et d'énergie pour la promotion de son premier livre *Vos zones erronées*[1]. Il a même quitté temporairement un travail

---

1. Dyer, Wayne. *Vos zones erronées*, Éditions Un monde différent, 1997.

rémunérateur à seule fin de partir en tournée dans tous les États de son pays pour accorder des entrevues dans plusieurs stations de radio et de télévision. Ses efforts ont été récompensés, car les ventes de son volume ont radicalement augmenté et l'ont rendu célèbre.

James Redfield, auteur de *La Prophétie des Andes*[1], a fait cadeau de son livre à plus de cinq mille personnes. Avec le temps, il est devenu l'un des écrivains les plus prolifiques des États-Unis.

Même si nous ne possédons pas les revenus nécessaires pour être aussi généreux, il existe toujours des moyens d'effectuer des semences plus modestes et d'obtenir des résultats intéressants. L'important est de déployer certains efforts pour se faire connaître. Les ventes suivront leur cours.

Expérience de Nicole

Mes livres étant publiés chez différents éditeurs, j'ai constaté que la publicité et la promotion varient de l'un à l'autre. Chacun possède ses propres forces : une bonne communication avec l'auteur pour certains, un excellent service de presse pour d'autres.

De mon côté, j'ai usé d'audace dès mon premier livre. Après les efforts initiaux de mon éditeur lors de sa sortie, j'ai signé un contrat de publicité d'une durée d'un an avec un magazine qui se spécialisait dans la

1. Redfield, James. *La prophétie des Andes*, Éditions Robert Laffont, 1994.

croissance personnelle. J'en ai profité aussi pour y inscrire la date et le lieu d'une conférence mensuelle offerte dans un lieu public.

À la télévision communautaire, j'ai *osé* présenter un projet d'émission et les résultats ont été au-delà de mes espérances. L'émission a été diffusée pendant deux saisons avec un total de trente-neuf épisodes : une précieuse visibilité.

En revanche, pour les médias écrits, ce ne fut qu'à mon septième livre que j'ai réalisé que je pouvais contacter moi-même les journaux de quartiers pour leur proposer de me faire une entrevue. Il suffisait de leur envoyer directement mon livre avec la mention que j'étais disponible pour une interview. Cela m'a valu de faire la première page du journal local à trois reprises.

J'ai aussi eu la chance d'être invitée à différentes émissions de radio et de télévision. Malgré un stress énorme au début, j'ai réalisé cependant combien ce privilège inestimable aidait à la promotion de mes livres.

Expérience de Marilou

Je n'ai guère fréquenté le pays de la hardiesse lors de la sortie de mes premiers livres. J'avoue qu'une expérience difficile à la télévision m'avait rendue fort méfiante face à ce moyen de promotion. Depuis lors, j'ai renoncé à revivre ce genre de situation inconfortable. Cela dit, malgré le stress qu'une apparition à la télévision provoque parfois chez certaines personnes, ce moyen n'est certainement pas à dédaigner. Au contraire! Nombre d'auteurs y ont recours et se disent satisfaits des résultats.

En ce qui me concerne, j'ai plutôt choisi ce qui convient davantage à ma personnalité: la radio, les magazines et les journaux. Mon métier de journaliste m'ayant aidée à maîtriser ces instruments de promotion, j'y ai recours, à l'occasion, pour offrir plus de visibilité à mes écrits.

Par ailleurs, une émission hebdomadaire, *Chemin d'Intériorité*, que j'anime à la radio, m'a permis de rencontrer quelques personnes influentes dans le milieu de la promotion et de la publicité. Même si personnellement je suis une très piètre représentante commerciale, à leur contact, j'ai saisi davantage les méandres de l'entreprise de vente d'un produit. À chacun son métier et son talent. Ce qui compte, après tout, c'est le résultat...

Chapitre 10

Les services dérivés

On est riche quand on vit sur les revenus de ses revenus.

Proverbe

Selon l'Union des écrivaines et écrivains québécois (l'UNEQ), « Vivre uniquement du produit de la vente de ses livres n'est facile nulle part dans le monde. Au Québec, l'exiguïté du marché complique encore les choses. Un bref calcul l'illustre bien. Avec des droits d'auteur de 10 % sur un livre coûtant 15 $ en librairie, un auteur devrait vendre 10000 exemplaires pour obtenir un revenu brut de 15 000 $. Le double pour toucher 30 000 $... avant déduction des frais et de l'impôt sur le revenu. En fait, très peu d'œuvres littéraires atteignent chaque année un pareil tirage au Québec.[1] »

---

1. Union des écrivains québécois. *Le métier d'écrivain, guide pratique,* Éditions Boréal, 1988, p. 81.

Les revenus dépendent de plusieurs facteurs dont, évidemment, le nombre de volumes vendus et l'engouement du public pour le sujet traité. Heureusement, d'autres sources de revenus peuvent compléter les manques à gagner, par exemple, écrire d'autres ouvrages et offrir des services dérivés.

Voici certaines avenues générant des bénéfices :

- les consultations privées ;
- les conférences publiques ;
- les formations ou les ateliers ;
- les sessions de formation en entreprise.

Les consultations privées

Les consultations privées s'adressent surtout aux auteurs qui sont consultants ou thérapeutes. Les écrivains donnant des cours d'écriture peuvent aussi offrir des consultations portant spécifiquement sur l'écriture ou sur les thèmes reliés au monde de l'édition.

Pour ceux qui sont désireux de réaliser une carrière dans le domaine de la communication verbale, l'option des conférences, des ateliers et des sessions de formation s'avère une avenue fort intéressante.

Les conférences publiques

Les conférences portent principalement sur le sujet principal du livre de l'auteur. Un romancier élaborera sur l'art d'écrire une fiction ou sur les recherches à effectuer pour étoffer un roman d'époque. Un auteur de guide pratique dissertera sur le sujet et sur les sous-thèmes du sujet exploré dans son ouvrage. Il pourra même partager les expériences des gens qui ont mis en pratique l'approche préconisée. Il profitera de l'occasion pour parler de son cheminement personnel ou des recherches qui l'ont conduit à la rédaction de son livre.

Le tarif demandé pour une conférence relève d'une grille standard dans ce domaine. Il est également tributaire du nombre de participants s'y inscrivant ainsi que de la durée de la causerie. Selon la clientèle visée, ces prix varient de cinquante à quelques milliers de dollars. D'ordinaire, les tarifs minimums proviennent des organismes à but non lucratif : centres communautaires, regroupements de personnes, services locaux, etc. Un auteur qui s'adresse à des groupes corporatifs : entreprises, cabinets de professionnels, organismes gouvernementaux, groupes sociaux, etc., reçoit, dans la plupart des cas, une rémunération substantielle variant entre 500 $ et 5 000 $.

À noter que l'auteur peut aussi offrir quelques conférences gratuites qui lui assureront une grande visibilité tout en lui permettant de vendre son livre.

Des conférences maison sont également une avenue intéressante à envisager. Il vous suffit de contacter une personne qui formera un groupe qu'elle recevra à son domicile ou ailleurs. Habituellement, l'organisateur retient un tiers des sommes recueillies pour payer ses dépenses avant de vous remettre les recettes de cette rencontre. À ce montant s'ajoute l'argent découlant de la vente des livres.

Une autre possibilité consiste à organiser vous-même la conférence, dans un lieu public. Vous devez publiciser l'événement et vous occuper des réservations. Cette formule est profitable puisqu'elle vous met en contact direct avec le public que vous désirez rejoindre.

Les formations ou les formations de groupes

En plus des conférences, vous pouvez organiser des journées de formation ou des rencontres individuelles qui permettent d'approfondir le sujet traité. Pour faciliter ces sessions de formation, un matériel de présentation est requis sous forme de cahier de cours ou de livret.

La durée et le coût varient d'un formateur à un autre. Voici un barème de base pour vous guider :

- 15 $ à 20 $ de l'heure en groupe ;
- 35 $ à 85 $ de l'heure en individuel.

La durée d'une formation d'appoint fluctue normalement entre cinq et vingt-cinq heures tandis qu'une formation spécialisée exige entre deux cents à cinq cents heures de travail. Chacune des rencontres s'effectue sur des périodes de trois heures ou s'étale sur une journée complète.

Afin d'augmenter le professionnalisme de vos formations, il est recommandé de donner des attestations ou des certificats aux participants ayant répondu avec succès aux exigences. Il va sans dire que vous possédez vous-même une formation solide dans la matière présentée.

Pièges à éviter : être trop timide et manquer de professionnalisme

La timidité représente un obstacle majeur à une communication efficace. Certains auteurs souffrent de ce malaise qui compromet leur carrière d'orateur. Un travail sur soi est essentiel afin de contrer les effets nuisibles de ce manque d'assurance dans les relations sociales.

Dans son livre : *Vaincre la timidité*, Claire Pinson souligne :« Bien souvent la timidité est le signe d'une sensibilité, d'une émotivité et d'une intelligence vives. Autant de traits qui peuvent devenir de véritables atouts![1] » Elle a sans doute raison. En revanche, si cette timidité devient un obstacle à votre réussite, il demeure essentiel de trouver le ou les moyens de l'alléger ou de la vaincre.

Devenir un bon communicateur ne s'obtient pas du jour au lendemain. Une formation de base, des lectures et beaucoup de pratique sont requises. Et n'oubliez pas que les gens ont tendance à placer sur un piédestal les écrivains et les auteurs. Ne tombez pas dans le piège du non-professionnalisme. Puisque certains lecteurs de vos livres ou quelques participants à vos ateliers prennent vos opinions ou vos idées pour des vérités absolues, votre responsabilité de transmettre une bonne information est décuplée. D'où l'importance de développer une compétence, une honnêteté intellectuelle et une très bonne éthique professionnelle qui assureront votre crédibilité et votre valeur.

Conseil : être créatif

En vue d'augmenter vos revenus d'auteur et d'écrivain, la créativité se révèle un moyen d'expression non négligeable, par exemple : la production de cassettes ou de disques compacts, la création de formations ou de tout autres service et produit intéressant, connexe à vos écrits. En partageant régulièrement vos connaissances et votre expérience, vous demeurez un communicateur actif. L'impact de cette créativité, en plus d'être rémunérateur, vous met en contact avec des gens que vous n'auriez peut-être jamais rencontrés autrement.

Un excellent moyen de susciter et de nourrir la créativité consiste à pratiquer la visualisation, la méditation ou

---

1. Pinson, Claire, *Vaincre la timidité*, Éditions de Vecchi, 2003, p. 57.

la contemplation. En réalité, toute forme de concentration incite une personne à l'intériorisation. L'ascétisme n'est pas nécessaire pour méditer. Quelques instants de silence dans la nature, sur les rives d'un lac ou dans un coin calme de la maison apportent de véritables bienfaits intérieurs. Les inspirations et les idées qui en découleront serviront de matériel pour écrire le contenu d'une conférence, d'une formation ou même d'un autre livre.

Expérience de Nicole

Comme le sujet principal de mes premiers livres concernait les rêves, j'ai conceptualisé une série de présentations publiques sur ce thème. De plus, l'enseignement des rêves étant une activité rare, j'ai osé fonder une école de rêves qui offre des formations permettant aux participants de devenir autonomes dans l'analyse de leurs rêves.

Avec les années, cette nouvelle carrière est même devenue une véritable mission personnelle, car j'ai délaissé mon travail en tant que technologue en médecine nucléaire, fonction occupée pendant vingt-quatre ans.

Afin de maintenir un niveau de professionnalisme élevé, je participe chaque année au congrès de l'Association internationale pour l'étude des rêves (International Association for the Study of Dreams, IASD) dont je suis membre depuis de nombreuses années. Ce congrès réunit des spécialistes de différentes disciplines (médecine, psychiatrie, psychologie, anthropologie et même chamanisme) dont le but est de diffuser les découvertes récentes en rapport avec l'activité onirique.

Pour ne pas perdre de vue mes objectifs initiaux, dont celui de servir tout en ayant du plaisir, je médite chaque jour. Je reste ainsi connectée à la Source intérieure qui guide mes pas dans cette belle aventure. Je mets aussi en pratique ce que j'enseigne en écrivant quotidiennement mon journal de rêves (plus de 20,000 rêves consignés à ce jour), ce qui me permet d'accéder à davantage d'idées créatives.

Expérience de Marilou

Au Québec, vivre de sa plume est une réalisation plutôt rare. J'ai dû, comme la plupart des auteurs d'ici, développer des à-côtés lucratifs me permettant de subsister jusqu'au moment de recevoir mes redevances annuelles.

Amoureuse inconditionnelle des mots, j'ai conçu un atelier d'écriture afin d'enseigner, aux personnes intéressées, des méthodes efficaces pour écrire un premier livre. Durant cette rencontre, les participants apprennent à jongler avec différents concepts et genres d'écriture tout en découvrant les étapes à suivre pour parvenir à la publication d'un manuscrit.

Enseigner et communiquer demandent d'aller au-delà de la timidité et représentent un défi de taille pour moi. Mais une fois le travail accompli, les plus belles récompenses demeurent les commentaires de satisfaction et d'appréciation des participants, et surtout, la publication éventuelle de leur livre. L'apothéose quoi !

Chapitre 11

Une carrière d'auteur

Il y a dans la vie une continuité inévitable ou inexorable. Une continuité évolutive, traversée de profondes mutations.

Anne-Marie

Peu importe l'étape à laquelle est rendu votre premier manuscrit (attente du verdict de l'éditeur, processus d'impression, vente en librairie), il est temps de penser à la poursuite de votre carrière d'auteur, si tel est votre souhait.

Un deuxième livre

Maintenant que vous êtes familiarisé avec le domaine de l'édition, que vous avez acquis une discipline bien rôdée et que la créativité est au rendez-vous, vous pouvez ouvrir la porte à un nouveau projet. Un deuxième ouvrage sera définitivement plus facile à produire, car la notoriété obtenue grâce à la publication d'un premier livre vous aidera à promouvoir le second. Les gens qui vous ont lu attendent sans doute une suite à votre livre ou un volume sur un sujet différent.

Un véritable écrivain doit donner vie à la passion qui l'habite, sinon il risque de passer à côté de sa vocation et, éventuellement, d'éprouver des difficultés à reprendre la plume. L'analogie avec une voiture se prête bien : mettre en marche une automobile arrêtée exige plus d'essence que de maintenir celle qui roule déjà. L'élan qui la propulse facilite l'économie d'énergie. Alors, profitez, vous aussi, de votre élan intérieur pour continuer à écrire.

La mission d'auteur

Lorsque vous réaliserez que l'écriture est un moyen de partager vos idées, vous vous sentirez peut-être investi d'une responsabilité, d'une mission nouvelle. Un besoin intérieur de poursuivre sur cette lancée vous poussera à vous documenter afin de transmettre votre savoir sur un autre sujet. Allez ! N'hésitez pas ! Une fois la première étape de production franchie, une longue et belle aventure se dessine devant vous. Osez embrasser cette mission de semer chez le lecteur des images inspirantes ou émouvantes, des idées stimulantes ou nourrissantes.

Pièges à éviter : se complaire dans l'inertie et abandonner la discipline

L'effort déployé pour écrire un livre et la satisfaction éprouvée à la suite d'une première publication peuvent vous donner le goût de vous asseoir sur vos lauriers. Un repos bien mérité va de soi, bien sûr, mais l'absence prolongée d'écriture risque d'affecter grandement votre impulsion créative.

La clé du succès, c'est la discipline. De même que l'on s'impose des règles de conduite pour bien gérer sa vie, il est nécessaire de se donner des habitudes de travail pour obtenir des résultats concrets dans le domaine de l'écriture. Il faut donc secouer notre léthargie et reprendre le volant de notre vie et surtout, ne pas abandonner la discipline qui nous a si bien conduits à la réalisation de nos rêves.

Conseil : oser le dépassement

L'être humain est appelé au dépassement dans tout ce qu'il entreprend. Il en est de même pour l'auteur engagé et consciencieux, désireux d'améliorer son style, sa présentation et son contenu. Il cultive le vrai bonheur lorsqu'il exploite ses talents et son pouvoir créatif et inventif.

Tout comme le peintre change de toile, de couleurs et d'inspiration pour sa nouvelle œuvre, voyager dans les contrées vierges de l'écriture devient un stimulant fort intéressant pour la rédaction d'un second livre. Vous développez alors une nouvelle manière d'écrire, vous accumulez un bagage d'expériences plus large (qui représente bien souvent le moteur, le noyau d'une œuvre inédite) en plus d'enrichir votre vocabulaire.

Avant de vous lancer dans cette nouvelle écriture, voici un rappel et des informations supplémentaires portant sur la chaîne de production d'un livre. Cette série d'étapes implique une structure organisationnelle complexe qui met en relation différentes ressources. Lorsqu'on lit un livre, installé bien confortablement sur le divan, on ne peut s'imaginer les démarches parfois complexes par lesquelles le volume a dû passer avant d'arriver dans les mains du lecteur. Pour mieux comprendre le cheminement menant à la réalisation d'un livre, en voici les éléments constitutifs :

- L'auteur ou l'écrivain est bien sûr à la base de l'échelle de production. Sans lui, l'édition de livres n'existe pas. Il est le penseur, celui qui rédige des œuvres, qui a la paternité de son texte, de son contenu et de sa forme littéraire.
- L'éditeur est le responsable de toute la politique éditoriale de la maison d'édition. Il assure la coordination de son équipe en plus de déterminer la valeur scripturale de tout manuscrit présenté à son attention. Il publie des textes inédits ou il les réédite. Il prépare les contrats d'édition qu'il adapte à chacun de ses auteurs. Certains éditeurs, par contre, ont des contrats d'éditions standards qui s'adressent à tous les auteurs de sa maison d'édition.
- Le comité de lecture a pour mission d'effectuer une lecture critique du livre potentiel sélectionné par l'éditeur. Il est habituellement composé de deux à cinq personnes, dont l'une d'entre elles a des compétences plus spécifiques sur le sujet traité. Ces personnes déterminent la pertinence du livre pour la maison d'édition, elles vérifient la cohérence du texte et la valeur de son contenu en plus d'apporter des recommandations, dans l'hypothèse d'une publication. Sur la base de chacun des avis donnés par le comité de lecture, l'éditeur décidera officiellement si oui ou non, il publie le livre.
- Le contrat d'édition a pour objectif de créer une entente claire et précise sur les clauses d'exploitation

d'une œuvre déterminée aux fins de publication par la maison d'édition: pourcentage, nombre d'exemplaires, etc. Par ce contrat, l'auteur cède ses droits (mais aucunement ses droits intellectuels qui sont incessibles) à la maison d'édition qui, en retour, a pour mandat de produire, de diffuser et de promouvoir son livre.

- Les droits d'auteur (ou redevances) représentent les sommes versées à l'auteur par l'éditeur pour la cession de ses droits d'exploitation. Ce paiement est à terme fixe, il est remis habituellement une fois par année. Le montant est déterminé par le nombre de volumes vendus et le pourcentage sur le prix de vente.
- Le correcteur-réviseur assure la qualité du texte en termes de grammaire, d'orthographe et il applique le code typographique afin de rendre un texte conforme aux règles de la langue française.
- L'illustrateur ou le photographe est un artiste qui réalise une illustration ou une photo pour le compte de l'auteur ou de l'éditeur, laquelle servira à la première page de couverture; souvent, elle se continue sur la quatrième page de couverture.
- Le directeur artistique (souvent à la pige) conçoit l'aspect visuel du livre. Il détermine l'aspect de la couverture (1re et 4e pages), le choix des couleurs, des polices, les illustrations (avec la complicité de l'éditeur) ainsi que leur format, etc. Le rôle du directeur artistique est essentiel puisque la qualité de la page couverture est primordiale pour capter le regard du futur lecteur.
- Le maquettiste effectue la mise en pages de l'ouvrage. Ce travail consiste à disposer le texte (et s'il y a

lieu, les images et les tableaux d'un manuscrit) avant l'impression, par des moyens mécaniques ou informatiques et selon un cadre graphique déterminé à l'avance par l'éditeur et le directeur artistique.

- Le photograveur est un spécialiste de la photogravure, c'est-à-dire qu'il gère les fichiers informatiques sur lesquels se retrouvent les mises en page et l'illustration (ou la photo) de la 1re de couverture. Il *scanne*, numérise et retouche les images, il voit à la qualité des couleurs et de l'impression.
- L'épreuve finale est le document numérique remis à l'éditeur pour une révision avant la mise sous presse. Il représente une version presque définitive du produit. Le réviseur doit en faire une dernière relecture afin d'éviter les coquilles (fautes typographiques).
- L'imprimeur veille à préparer des plaques pour l'impression en quadrichromie (quatre couleurs). Les plaques sont ensuite montées sur une presse.
- La finition est également du ressort de l'imprimeur qui coupe et plie le papier pour ensuite relier les pages sous une couverture qui habillera et décorera le document.
- Le livre est l'aboutissement final de toute une production interne et externe de la maison d'édition. Dans sa forme matérielle, le livre est un assemblage de feuilles reliées, et imprimées à plusieurs exemplaires.
- L'attaché de presse agit en collaboration avec l'éditeur. Il a comme fonction de fournir aux représentants de la presse (écrite, électronique et télévisuelle, radiophonique) un dossier de presse (pochette) dans lequel se retrouvent: un communiqué annonçant la

sortie du livre, un résumé du livre, la date du lancement (s'il y a lieu), les activités liées à la sortie du livre, etc. Cette pochette contient également une impression à plat de la page couverture (ou un exemplaire du livre), une courte biographie de l'auteur et sa bibliographie (s'il y a lieu). L'attaché de presse assure la liaison entre l'éditeur, l'auteur et les médias.

- L'agent de promotion et de publicité établit des projets spécifiques afin de mieux faire connaître le livre à la population. Il est en charge de la commercialisation du livre.
- Le distributeur est un grossiste qui agit à titre d'intermédiaire entre l'éditeur et le libraire. Il reçoit une partie du stock de livres (l'autre partie est dirigée vers l'entrepôt de la maison d'édition). Sa tâche première est d'expédier les volumes dans les librairies, les supermarchés et les magasins à grande surface. Il est également responsable de gérer les réserves de livres et d'aviser l'éditeur lorsqu'il est en rupture de stock afin que d'autres exemplaires du livre soient imprimés et acheminés à son entrepôt pour une nouvelle expédition.
- Le libraire est l'intermédiaire principal entre l'auteur et le lecteur. Il offre une vitrine essentielle aux auteurs en exposant leurs livres dans son magasin.
- Le lecteur est celui qui lit le livre. On pourrait presque dire qu'il est le coauteur puisqu'il développe, à travers les mots, sa propre vision et interprétation des informations qu'il reçoit. Il s'identifie à sa lecture selon son point d'intérêt. Il est à la fois accueil et critique. Il choisira les livres en fonction de ses champs d'intérêt ou de sa curiosité.

- Le critique est une personne qui commente les livres (dans les journaux, à la radio, etc.) selon une perspective personnelle, sociale et/ou intellectuelle. Il peut s'agir d'un éditorialiste, d'un journaliste, d'un écrivain ou autres.
- Le salon du livre est une exposition annuelle, un événement qui a pour mission de promouvoir la lecture, tant chez les jeunes que chez les adultes. Il permet également aux lecteurs de rencontrer leurs auteurs, ce qui, pour beaucoup d'entre eux, s'avère un grand événement.
- Les foires internationales du livre ont pour objectif de permettre aux éditeurs de rencontrer d'autres éditeurs à l'échelle internationale et d'acheter des droits d'auteurs de leur maison d'édition. Il y a plusieurs foires internationales. Les plus importantes sont celles de Paris, de Francfort, Londres et Los Angeles où la majorité des éditeurs se retrouvent sous le même chapiteau.

Expérience de Nicole

Je me souviens encore de l'immense discipline que l'écriture a exigée de moi. Peu à l'aise avec ce médium, j'ai passé des soirées entières à reformuler mes textes pour les rendre fluides, structurés et harmonieux. Que de moments vécus en solitaire pour pondre quelque chose de valable! Mon ex-conjoint, ma famille et mes amis ont été témoins de ces efforts et ils ont respecté mes choix sachant combien il m'importait de mener à terme mes projets. Le deuxième livre m'a permis de m'épanouir davantage.

Mon expérience dans le monde de l'écriture s'est donc élargie au fil du temps. Après le thème des rêves, je me suis aventurée vers de nouveaux sujets comme : *comment améliorer son sommeil, découvrir sa mission personnelle et augmenter sa vitalité*. Et me voilà maintenant avec un livre sur l'écriture ! J'en suis étonnée moi-même.

D'un livre à l'autre, des gens m'ont inspirée, des spécialistes m'ont conseillée, la vie m'a guidée. D'un défi à l'autre, j'ai osé l'inconnu, je me suis surpassée, j'ai découvert un potentiel qui ne demandait qu'à s'actualiser. Certains jours, je regarde en arrière et je vois la petite fille venue de la campagne, timide et solitaire, arriver dans la grande ville de Montréal pour étudier les sciences humaines et travailler en milieu hospitalier. Aujourd'hui, me voici une communicatrice audacieuse, auteure de plusieurs livres et directrice d'un centre de formation. Quel chemin parcouru !

Expérience de Marilou

Écrire un deuxième livre ? Pas question ! Ma première expérience ressemblait davantage à un combat entre moi et les mots et je n'avais certainement pas envie de renouer avec une autre guerre intérieure. Mieux valait me contenter d'une vie tranquille où les livres des autres combleraient ma passion pour les mots.

C'était ne pas compter sur mon imaginaire fourmillant d'histoires tissées à même mon vécu, qui poussait doucement, mais avec insistance sur la porte de mon refus. L'incrédulité aurait sûrement marqué mes traits si j'avais su qu'une quantité de rejetons emboîteraient le pas à ma première publication. Six mois après la parution de mon ouvrage, n'en pouvant plus, je me suis installée devant mon ordinateur et les mots ont franchi avec soulagement la limite que je m'étais imposée. Mon imaginaire s'est déversé sur la page vierge de mon écran, révélant l'histoire d'une rencontre étonnante et marquante avec un scientiste italien vivant à San Francisco, sur les rives du Pacifique...

Depuis, les livres se sont succédés.

Aujourd'hui, mon imaginaire s'approfondit dans d'autres formes d'écriture (pièce de théâtre, scénario de film). Mais, tel le saumon qui quitte la mer et remonte le fleuve au moment du frai, je reviendrai vers mon premier amour, mon lieu de naissance : le pays des livres.

Partie 4

D'AUTRES POINTS DE VUE

Chapitre 12

Des témoignages d'auteurs

La conscience vaut mille témoignages
Proverbe latin

Est-ce vraiment difficile d'écrire un deuxième livre ? Quelle est la motivation profonde incitant un auteur à reprendre la plume pour s'épancher de nouveau sur des pages vierges ? Comment trouve-t-il le courage de s'embarquer dans un autre projet alors que son premier livre n'a pas atteint le succès désiré ? Voilà autant de questions qui trouveront sans doute une réponse dans les témoignages d'auteurs ayant eu la générosité de partager leur expérience avec nous.

Témoignage de Daniel Meurois-Givaudan

Daniel Meurois-Givaudan est l'auteur ou le coauteur d'une vingtaine d'ouvrages dont la plupart sont rapidement devenus des best-sellers. Ses livres, traduits en plus de soixante langues, constituent de véritables témoignages vivants et actuels sur la pluralité des mondes. Maintenant installé au Québec, Daniel Meurois, également éditeur et conférencier, poursuit son travail d'ouverture des consciences avec une énergie sans cesse renouvelée. Ses derniers livres publiés aux Éditions Perséa sont : *Ce clou que j'ai enfoncé, Ainsi soignaient-ils, Le Non Désiré, Louis du Désert* (tomes 1 et 2).

> « À vrai dire, je n'ai jamais décidé de devenir écrivain... Étonnamment, cette réalité ne s'est imposée à moi qu'au bout d'un assez grand nombre d'ouvrages publiés, comme répondant à une sorte de destinée à laquelle je ne pouvais plus échapper.
>
> La raison de tout cela réside sans doute dans la nature même du moteur qui m'a toujours poussé à prendre la plume : la nécessité de témoigner d'une expérience de vie supplantant toujours chez moi le simple plaisir d'écrire, comme s'il fallait, avant tout, que je décharge régulièrement mon cœur de ce qu'il contient.
>
> L'énergie cardiaque en tant que gouvernail du navire est en effet essentielle dans mon cheminement. J'ai eu, je crois, le bonheur de comprendre rapidement que si je ne laissais pas mon cœur libre de générer les mots et les phrases, l'encre de mon âme serait rapidement mise en rétention à sa source. En ce sens, il me semble aujourd'hui qu'une bonne part de cet art qui, peu à peu, fait de nous un écrivain, tient à la vérité de notre propos et à la confiance accordée à la puissance de celle-ci.
>
> C'est pour mieux laisser agir une telle vérité que j'ai résolu, il y a quelques années, de ne plus écrire qu'en

trempant une plume d'écolier dans l'encrier, ainsi qu'on le faisait autrefois. Il y a, dans l'espace entre ce geste et celui où on couche les mots sur la feuille blanche, une sorte de magie au sein de laquelle le temps se dilate et où, précisément, notre âme se livre.

C'est à savourer cette magie que j'invite tous ceux qui se sentent appelés à récidiver dans la belle aventure de l'écriture. Mais attention... nul ne saurait devenir magicien des mots sans, également, beaucoup de travail et de persévérance ! »

Témoignage de Lise Thouin

Comédienne, artiste et femme de cœur, Lise Thouin a su conquérir les gens de tous âges avec sa plume magique. Ses trois livres : *Boule de rêve* (Éditions Fondation Boule de rêve), *Toucher au soleil et tant pis si ça brûle* (Éditions Libre Expression) et *De l'autre côté des choses* (Éditions Libre Expression), sont rapidement devenus des succès de librairie tant au Québec qu'en Europe. Boule de rêve, entre autres, un incontournable en matière d'accompagnement des personnes mourantes, est traduit en italien, (Palla di Sogno) et s'est vendu à plus de 20,000 exemplaires. Il a été en nomination, dans sa version italienne, pour le prestigieux Prix de l'Unesco pour la Paix.

« Pourquoi écrire et écrire encore ? Certains prétendent que c'est toujours pour parler de soi et que c'est, en quelque sorte, le même livre que l'on rédige sans cesse sous des titres différents. Je n'en suis vraiment pas si sûre...

Même si certains de mes livres sont de l'ordre du témoignage personnel, la mise à nu qu'ils impliquaient m'a toujours demandé un effort ainsi qu'une volonté souvent très éloignés de ce qu'on croit être la jouissance présumée de l'écrivain.

Pourquoi ai-je écrit? Non pas pour me raconter, mais tout simplement par amour! Par amour de ce que mes quelques pas accomplis parmi six milliards d'autres êtres humains m'ont permis de comprendre. Certainement aussi parce que le vrai courage, aujourd'hui, dans notre monde en cruel manque de tendresse, me semble être d'oser parler d'amour. Mais en parler... c'est aussi l'écrire, sans réserve et sans se soucier des modes, c'est-à-dire souvent à contre-courant des tendances de notre société.

J'ai toujours été émerveillée par le miracle des pages qui persistent dans le temps et qui gravent leur présence dans le cœur plus profondément que les mots prononcés.

J'écris donc pour offrir ma part à cette beauté qui reste à cultiver dans la conscience de l'humanité. C'est une sorte d'engagement... et, en tout cas, un beau défi de vie. »

Témoignage de Marie-France Cyr

Détentrice d'un doctorat en communication, Marie-France Cyr enseigne au département de psychologie de l'UQAM et à la Télé-université. Elle est l'auteure du best-seller *Arrête de bouder*[1], traduit en allemand et en italien, et de *La vérité sur le mensonge*[2] traduit en allemand, en polonais

1. Cyr, Marie-France. *Arrête de bouder! Ces gens qui refusent de communiquer*, Montréal, Éditions de l'Homme, 2001.
2. Cyr, Marie-France. *La vérité sur le mensonge*, Montréal, Éditions de l'Homme, 2003.

et en espagnol. Elle enseigne au niveau universitaire depuis 1989.

> « J'adore lire et écrire : je suis une mangeuse de mots. J'aime jouer avec les mots, même si j'ai parfois l'impression qu'un texte est un corset trop serré pour exprimer ce que je ressens. Écrire me procure une grande joie, encore faut-il que je passe à l'action, ce qui n'est pas évident. J'ai longtemps résisté à l'écriture avant de connaître la plénitude quand je parviens à m'y abandonner.
>
> À neuf ans je lisais mon premier roman : *Le Perroquet et son trésor*. Ce fut une véritable révélation. J'étais envoûtée par la magie des mots qui ont le pouvoir de nous transporter ailleurs, de nous faire vivre toute une gamme de sentiments. Durant un passage bouleversant, j'ai levé les yeux de mon livre et je me suis dit ceci : « Je veux toucher les gens comme je suis touchée par ce roman ». J'ai décidé que je serais également écrivaine. Malgré cette révélation précoce, j'ai longtemps tardé avant de réaliser mon rêve. En effet, j'ai publié une cinquantaine d'articles et atteint le milieu de la trentaine avant d'écrire mon premier livre.
>
> Durant des années, j'ai longtemps résisté avant de débuter mon premier livre et j'en éprouvais beaucoup d'anxiété. Tous les prétextes étaient bons pour ne pas écrire. L'anxiété grandissait avec le temps. À la suite à la lecture du fameux livre de Julia Cameron *The Artist's Way : A spiritual Path to Higher Creativity*[1], j'ai commencé à écrire à la main tous les matins, n'importe

1. Traduit aux Éditions Dangles par *Libérez votre créativité.*

quoi, juste pour moi. Le livre de Suzanne Falter-Barns, *How Much Joy Can You Stand ?*[1]

La vie m'a fourni un sujet en or pour mon premier livre. Je suis tombée en amour avec un jeune homme qui me résistait, tout comme je résistais à l'écriture. Au moment où notre relation prenait une tournure plus intime, il a paniqué et il a brusquement rompu. Il a commencé à m'ignorer et je me suis mise à le bouder. J'ai beaucoup souffert de son silence, mais ma soif de comprendre ce qui se passait a été plus forte. J'ai cherché un livre qui pourrait m'aider. Je n'en ai pas trouvé. Je me suis dit : « Je vais l'écrire, ce livre ». Exactement trois ans après le début de notre bouderie, c'était le lancement de mon livre *Arrête de bouder !* La réalisation de mon souhait le plus cher m'a procuré une joie indicible. Chacune de mes cellules vibrait d'allégresse. C'était le cadeau caché sous l'épreuve du silence hostile.

Mon bébé de papier a reçu un superbe accueil et m'a propulsée dans l'univers des médias et des conférences. Après le soulagement qu'à été le fait de parvenir à nommer ce qui se passe quand deux personnes ne se parlent plus, prendre la parole en public a été extrêmement libérateur. Durant mes tournées, j'ai touché beaucoup de personnes qui m'ont confié à quel point elles aussi souffraient de la bouderie d'une personne qu'elles aimaient.

Après avoir surmonté enfin ma résistance à l'écriture, je croyais que je saurais pondre des livres à la chaîne.

1. Traduit par les Éditions de l'Homme sous le titre *Qu'attendez-vous pour être heureux ?* m'a aussi beaucoup aidée à passer à l'action. J'ai accepté l'anxiété au lieu de lui résister et j'ai découvert qu'elle était mon alliée. C'est la sœur cadette de la créativité. J'ai appris à écrire pour écrire : c'était la clé pour traverser le mur qui m'empêchait de passer à l'action.

Des constellations d'idées de livres tournoyaient dans mon esprit, mais aucune ne m'éblouissait. J'étais encore bloquée. Un an après la sortie de mon premier livre, je le dédicaçais au salon du livre de l'Outaouais quand mon éditeur m'a demandé si j'avais envie d'écrire un livre sur le mensonge. Son idée ayant éclipsé les autres, j'ai accepté tout de suite. J'étais ravie d'explorer ce thème qui suscitait tant de réflexions durant mon adolescence où ma franchise brutale faisait fuir les gens. Avec ce sujet intéressant en main, je croyais pouvoir me remettre à l'action, mais je me suis retrouvée devant un mur encore plus épais qu'avant la publication de mon premier livre. Seulement deux mois avant la date d'échéance, j'ai décidé de consulter une travailleuse sociale qui offrait du *coaching* sur mesure. Mon éditeur m'a aussi fait miroiter la possibilité d'une tournée européenne quand il a su que je rêvais d'aller à Paris depuis mon adolescence. Cela a été suffisant pour briser mon inertie et me remettre en mouvement. J'ai rédigé un chapitre par semaine et, au bout de deux mois, mon manuscrit était complété à la grande joie de tous, y compris de moi-même. »

Témoignage de Gilles Tibo

Ex-illustrateur, Gilles Tibo est maintenant connu comme l'auteur d'une centaine de romans jeunesse. Récipiendaire de nombreux prix nationaux et internationaux, il a remporté le Prix du Gouverneur général du Canada en 1996 pour *Noémie, Le Secret de madame Lumbago*[1]. Depuis la parution de ce roman, il écrit à temps plein, et il vit de

1. Tibo, Gilles. Noémie, *Le secret de madame Lumbago*, Editions Québec Amérique, 1996.

ses droits d'auteur. Certains de ses livres ont été traduits en huit langues.

Gilles Tibo nous confie que l'écriture est arrivée d'instinct dans sa vie, vers le début de la quarantaine. Tel un véritable raz-de-marée, le goût d'écrire s'est d'abord manifesté par la création du personnage de Noémie (dont la série comporte plus de quatorze ouvrages). Il a aussi écrit pour les adultes: *Le mangeur de pierres*[1] et *Les parfums d'Élisabeth*[2], livres parus aux Éditions Québec Amérique.

Il nous partage son secret: « le plaisir de créer mes personnages... Me laisser happer par l'ordinateur pour écrire d'un premier jet ce qui monte spontanément ». Il s'intéresse au thème de l'instinct et de la culture ; et, bien sûr, à leur opposition, leur complémentarité. « Les enfants sont des êtres d'instinct », dit Tibo qui les connaît bien pour les fréquenter par le biais de lectures publiques, de conférences, de rencontres dans les salons et bibliothèques : « ... et je trouve très passionnant de voir comment les enfants sont déjà habités, tout jeunes, par un instinct qui va les caractériser toute leur vie. Ce qui est captivant, c'est de voir ce qu'ils feront de leur nature profonde, d'observer comment ils modèleront leurs pulsions naturelles. Jusqu'où la culture les dompte-t-elles ? Que devient l'instinct une fois la culture acquise ? Qu'en reste-t-il une fois que l'on devient adulte ? »

L'écrivain prolifique souligne le défi suivant: « rester disponible à ce qui se passe en moi, car je fonctionne au radar, à l'intuition ». Gilles est un créateur connecté à sa

1. Tibo, Gilles. Noémie, *Le mangeur de pierres*, Editions Québec Amérique, 2001.
2. Tibo, Gilles. Noémie, *Les parfums d'Élisabeth*, Editions Québec Amérique, 2002.

vérité intérieure ; par le biais de ses personnages, il met en mots son expérience de vie. Pour *Le Mangeur de pierres* et *Les Parfums d'Élisabeth,* le défi était différent puisque ces romans s'adressent à un public adulte. Mais Tibo a écouté ce qui montait en lui, et il s'est mis au service de son imagination. Pour *Le Mangeur de pierres,* il confie : « j'étais parti deux mois à la campagne, en juillet et en août. J'ai passé le premier mois en vacances avec ma famille, et le 1er août, j'ai commencé à écrire. C'est une rencontre, pendant mes vacances, qui a tout déclenché. J'ai connu un petit garçon qui était autiste. Je l'ai observé. Je trouvais son monde fascinant. Ses contacts se faisaient par le toucher, à l'instinct. Et cela m'a frappé. »

Gilles avoue bien humblementla nature de son dépassement : « le travail de réécriture est très exigeant ». Pour lui, le rapport de temps entre la création et la correction est de 1 pour 5. Cela exige cinq fois plus de temps pour retravailler ses textes que les écrire sous l'effet de l'inspiration. Comme il le dit si bien : « il me faut prendre cet amas glaiseux et le rendre agréable à lire. Cela me prend en général de six mois à un an. Grâce au recul du temps, je me mets dans un état de surprises perpétuelles, ce qui m'oblige à demeurer vigilant ». Ses périodes d'écriture débutent généralement à neuf heures du matin et se prolongent jusqu'en mi-journée.

Son message est d'une grande simplicité tout en revêtant une profondeur inspirante : « la vie vaut la peine d'être vécue ». Cette sagesse lui vient d'avoir osé une nouvelle carrière à quarante ans malgré ses succès en tant qu'illustrateur.

Dans un autre ordre d'idées, Gilles Tibo a commencé à publier une collection de livres philosophiques dans lesquels il explique aux enfants ce que sont *Les Mots, Les Chiffres, La Musique, Les Images.* Il s'agit de la populaire collection du Petit Bonhomme chez Québec Amérique. Il prépare aussi un autre roman pour adultes, dont il ne veut encore rien dire. À suivre...

Témoignage de Nicolas Sarrazin

Depuis qu'il a terminé ses études de maîtrise à l'Université de Montréal, Nicolas Sarrasin voue une passion débordante pour les sciences cognitives et pour tout ce qui relève de la connaissance. En effet, son travail pose en filigrane une hypothèse qu'il considère fondamentale : mieux comprendre la manière dont nous interprétons le monde, c'est mieux comprendre l'ensemble de notre existence. À ce jour, il a publié deux essais portant sur l'histoire, la philosophie et le langage. Son troisième livre, petit traité antidéprime : *Quatre saisons dans le bonheur*[1], vient de paraître aux Éditions de l'Homme ; il porte plus spécifiquement sur la manière dont l'être humain est, à son insu, la cause d'un grand nombre de ses malheurs. Aujourd'hui Nicolas Sarrasin poursuit ses recherches, il offre des conférences et il travaille à donner de nombreuses suites à son dernier livre, pour aborder de façon constructive toutes les facettes de l'existence qui ne vont pas toujours de soi : les relations interpersonnelles, les émotions, la confiance et l'identité.

> « D'aussi loin que je me souvienne, j'ai toujours aimé les livres. Tout petit déjà, mes parents m'immergeaient tout entier dans le monde évanescent des contes pour m'émerveiller de ce que l'imagination

---

1. Sarrazin, Nicolas. *Quatre saisons dans le bonheur*, Éditions de l'Homme, 2005.

des autres recelait d'inestimable. Ce n'est donc guère un hasard si j'ai très vite ressenti un engouement tout intime pour la lecture puis, pour l'écriture.

Cependant, tout écrivain en puissance ne peut jamais juger de la place que lui fera le monde de l'édition ni, Ô consécration ultime, de l'amour éventuel que lui porteront les lecteurs. Le mot d'ordre m'a donc paru être celui sans lequel nous serions pour toujours privés des délices de la satisfaction : persévérer ! J'ai commencé par rêver d'écrire, puis j'ai distillé peu à peu sur mon pauvre ordinateur les pages de mièvres histoires empreintes des stéréotypes dont se nourrissait mon esprit adolescent. Mais le pianiste ne doit-il pas se gorger de gammes pour arriver un jour à quelque résultat ? Au détour de la littérature, j'ai plus tard découvert le riche chemin des idées, dans lequel je me suis engouffré avec la même étincelle que celle qui brille dans l'œil réjoui de l'explorateur.

Je résumerais donc à deux les volets qui, chaque jour, me font goûter aux bonheurs de l'écriture : celui de la beauté de notre langue, à travers l'imagination et les ressources dont abonde la littérature ; et celui des idées, à travers la quête du savoir et de la compréhension. D'ailleurs, comme si une digue s'était rompue en moi, j'ai récemment commencé à noter la foule des sujets qui se pressait vers moi et sur lesquels j'aimerais un jour écrire. J'espère seulement vivre assez longtemps pour en rédiger la moitié...

Sur l'écriture, Jorge Luis Borges, l'auteur argentin auquel je voue plus que de l'admiration, disait : « Je n'écris pas pour une petite élite dont je n'ai cure ni pour cette entité platonique adulée que l'on nomme la masse [...] J'écris pour moi, pour mes amis et pour laisser passer le cours du temps. » En me rappelant doucement ses mots, je constate à quel point l'écriture s'adresse d'abord à nous-même, dans le recueillement et la patience. Ensuite seulement nous pouvons offrir au monde ce qu'il y a de meilleur.

Enfin, lorsqu'on aime écrire, lorsque ce besoin se fait sentir comme un maelström au tréfonds de nous-même, nul besoin d'interroger la pertinence de rédiger un second, un troisième ou même un vingtième livre. C'est pourquoi je suggère à celles et ceux qui caressent le désir de couler des moments suaves en compagnie des mots et de quelques pages vierges de commencer par rêver. Car, comme disait Victor Hugo, ce sont les utopies d'aujourd'hui qui font la réalité de demain. »

Témoignages d'intervenants du milieu du livre

François Labelle, représentant

Je travaille pour une entreprise qui représente environ 200 maisons d'édition québécoises et européennes francophones et qui distribue pour elles environ 12,000 titres. Mon rôle consiste à faire le lien entre l'éditeur/auteur et chacun des libraires dans mon territoire, environ 80, à qui je rends visite à tous les mois. Nous formons une équipe de 4 représentants qui parcourons le Québec. En ce qui me concerne, je couvre la Rive-sud de Montréal, la Montérégie, l'Estrie, le Centre du Québec et la Beauce. À chaque mois, nous présentons à nos clients entre 100 et 150 nouvelles parutions ce qui représente environ 5 % du marché des nouveautés. Avec cette part du marché la maison de distribution pour laquelle je travaille est considérée comme une entreprise de taille moyenne. C'est dire combien un titre doit être supporté par un argumentaire original, convaincant et accrocheur et idéalement par une campagne promotionnelle et la participation des médias, pour se démarquer. Il existe plusieurs méthodes pour mettre un livre en marché. Par exemple, un système appelé office permet au libraire de recevoir de nouvelles parutions avec le privilège de retourner les exemplaires invendus pour une période de 6 mois en ce qui nous concerne et jusqu'à un an chez d'autres distributeurs. Outre la formule office, je peux proposer des mises en place spéciales sous forme de promotions ou offrir des livres en dépôt. Ce système très avantageux pour le libraire lui permet d'avoir en magasin une sélection de livres qu'il ne paiera qu'une fois le livre vendu. Je m'assure aussi que nos meilleurs vendeurs sont en place chez le libraire et en quantité suffisante.

Avec toutes les nouveautés et tous les titres aux catalogues des maisons d'édition, le défi de conserver un titre sur les tablettes des libraires en permanence est considérable. Car si le nombre de titres ne cesse d'augmenter, l'espace disponible en librairie reste généralement le même. Le représentant doit bien connaître le fond qu'il distribue, être informé des activités des éditeurs et des auteurs, connaître et respecter l'orientation et le marché de ses clients libraires et être à l'affût des tendances du marché.

Alain Williamson, éditeur

Si l'auteur détient la paternité de l'œuvre, l'éditeur, lui, peut se considérer comme le parrain. Il revient à l'éditeur de porter l'œuvre d'un auteur vers le monde extérieur afin qu'elle soit lue par le plus grand nombre de personnes possible. Pour y arriver, il lui faudra développer un mystérieux mélange de qualités et d'aptitudes: connaissance du marché, sens des affaires, habiletés de gestion, sens artistique, curiosité, ouverture sur la nouveauté, tact dans les relations humaines, persévérance, goût du risque (ou du moins être à l'aise avec le risque), bon réseau de contact et flair. Si l'édition vous intéresse...

Il n'en demeure pas moins que, pour moi, l'édition est l'un des plus beaux métiers à exercer. Le travail est varié, les contacts humains sont nombreux, les voyages font partie de la routine annuelle, les connaissances sont accessibles.

Je me sens toujours privilégié lorsque je lis le manuscrit d'un auteur. J'ai alors le bonheur de lire avant tout le monde (ou presque puisque d'autres éditeurs ont peut-être reçu le manuscrit en même temps que moi) une œuvre originale qui deviendra peut-être un best-seller. Peut-être... Car malheureusement, il n'existe pas encore de recette infaillible pour publier à tout coup des best-sellers. Oh ! Il y a bien des indices qui laissent croire que... des thèmes qui permettent de penser que... des auteurs avec lesquels on est presque assuré de... Mais c'est le lecteur en bout de ligne qui décidera si le livre sera un best-seller, un livre au succès honnête ou un essai raté. La plupart des éditeurs s'entendent pour dire que sur 10 titres qu'ils publient, environ 3 leur feront faire des profits, 4 leur permettront de retrouver plus ou moins leur investissement et 3 leur feront perdre de l'argent.

L'édition peut se diviser en trois phases: le choix du manuscrit, la publication comme telle et la mise en marché.

Le choix du manuscrit demeure une étape cruciale. Parmi tous les manuscrits proposés annuellement, il faut en sélectionner environ une vingtaine, en espérant ne pas se tromper et faire mentir la statistique citée précédemment. Comment décide-t-on d'un manuscrit? Chaque éditeur a sans doute sa méthode d'évaluation. Pour ma part, j'évalue trois points principaux : le thème, l'écriture et l'auteur. Pour le thème, je dois voir s'il est actuel, original, bien développé, ciblé dans notre créneau, s'il répond à un besoin, s'il peut s'insérer dans mon catalogue. Pour l'écriture, j'évalue le style, la qualité du texte et le travail à faire pour l'améliorer. Quant à l'auteur, j'aime toujours savoir s'il est actif, s'il œuvre dans un domaine en rapport avec son manuscrit, s'il peut participer à la promotion de son œuvre, ses compétences, son expérience et ses formations. Tous ces éléments m'aideront à prendre une décision concernant le manuscrit : un refus, une acceptation ou une invitation à retravailler le manuscrit. Mais tout cela ne tient plus, quelquefois, dans ces moments magiques où je pose les yeux sur une œuvre qui me passionne et qui m'emballe. Le coup de cœur vaut plus que des rapports d'analyse !

Lorsqu'un manuscrit est accepté, commence alors le travail d'édition : planification budgétaire et dans le temps, correction et ajustements du texte, *relecture*, mise en page, *relecture*, choix et réalisation de la couverture et de l'argumentaire pour les représentants, entrée en impression, épreuve de presse, *relecture (car il reste toujours des coquilles !)*, impression. Mélange de travail technique et artistique.

Puis vient le temps de mettre en marché le nouveau « bébé » : distribution en librairies, publicité, travail de presse, salons du livre, etc. Et on se croise les doigts. On surveille mois après mois les rapports de vente pour saisir la tendance qui se dessine. On fait des efforts supplémentaires. On se croise encore les doigts et on surveille toujours les rapports de vente. Et on refait le boulot plus de 20 fois dans l'année, sans compter les autres titres du catalogue à soutenir et à promouvoir. Si l'édition vous intéresse...

Mes plus grands bonheurs à titre d'éditeur sont simples: lorsqu'on reçoit un témoignage sur l'importance qu'a pu avoir un de nos livres sur la vie d'une personne, l'appréciation des lecteurs pour l'ensemble de notre catalogue et de la maison, l'auteur qui voit pour la première fois son livre imprimé et qui en a les larmes aux yeux. C'est aussi de découvrir une perle parmi les manuscrits reçus, de réaliser une couverture particulièrement réussie. Et si, en plus, nos titres connaissent du succès, alors c'est le bonheur total!

Carole Vallières, chroniqueure

Ah... si nous connaissions toutes nos motivations, toutes les raisons de nos coups de cœurs et de nos dédains, on réagit souvent au radar, sans réfléchir...

Comme chroniqueure, je reçois beaucoup de livres. En saison, je peux en recevoir de six à dix les grosses semaines mais aussi deux ou trois ouvrages les petites semaines. Il y a aussi les semaines de silence en fin de saison. Le débit n'est donc pas régulier.

En provenance de plusieurs maisons d'édition, je reçois toutes sortes de produits, mais toujours dans le domaine du corps et de la santé. Normal, les débouchés pour ces bouquins ne sont pas légions; les pages consacrées aux lectures dans les journaux les ignorent, et peu de médias électroniques en font la recension.

Dans cette abondance, pour faire des choix, je commence par éliminer: les sujets déjà couverts, les livres témoignages, les titres sans imagination... on développe une sorte d'expertise à la longue, et on reconnaît les livres vite faits ou les sujets éculés. Parfois, on se demande par quel miracle un livre a pu être imprimé, et on pense aux arcanes du pouvoir et des subventions...

J'ai bien entendu des préférences personnelles dans le grand univers de la santé. Tout ce qui permet aux gens de devenir responsable, d'améliorer leur vie en réfléchissant ou en agissant, retiendra mon attention. Pour aller un peu plus loin et donner mon opinion sur un livre, il faut que j'aie un coup de cœur, autrement, je le mentionne, sans plus. J'aurai le goût de parler d'un livre (même d'un témoignage!) si l'écriture est intelligente et bien menée – l'application de la composition d'école me fait fuir – si le propos jette une lumière nouvelle, fait avancer un débat, ouvre des horizons et si je sens la sincérité de l'auteur, dans le ton et la démarche. On comprend vite l'auteur qui découvre le sujet en même temps qu'il l'écrit ou celui qui met sa recherche en page. Ces derniers n'ont pas de distance face à leur sujet, pas de profondeur dans la réflexion. Évidemment, ils ne font pas vieux os sur mes tablettes...

Les attachées de presse jouent un rôle, limité mais parfois il peut être important. Si on me propose une interview j'accepterai si le risque me semble porteur. J'ai fait de belles rencontres quand les attachées finissent par me connaître et choisissent avec discernement les sujets sur lesquels elles insisteront.

En tant qu'animatrice à la radio ou à la télé, je suis plus ouverte car mes besoins sont plus grands. Je parlerai et ferai volontiers la promotion des livres quand l'auteur communique bien. Si un auteur est de passage, le sujet est dans l'air, ça me va. Si l'auteur a de la vivacité, est allumé et enthousiaste face à son sujet, je sais que j'aurai une bonne interview. Un auteur passe la rampe médiatique s'il sait communiquer sa passion. C'est une lapalissade mais il faut insister sur cette compétence. Le timide ou la réservée a moins de chance que le fendant ou la provocatrice... Les gentils sont moins intéressants que les méchants !

Pour préparer ces chroniques ou ces interviews, je dois évidemment lire, mais je ne lis pas toujours extensivement, cela n'étant pas nécessaire. Récemment je me passais la réflexion suivante : il y a souvent beaucoup de mots pour meubler, et parfois le contenu tiendrait sur vingt pages... Et puis je dois rester dans la découverte avec l'auteur, pour recevoir la spontanéité, pour lui permettre de me convaincre. L'auteur ne doit pas se vexer d'avoir à « vendre » son livre. Il doit y mettre de l'élan, retrouver le désir du départ nécessaire pour communiquer aux gens qui entendent parler de ce contenu pour la première fois.

Quand je reçois un livre *coup de cœur*, il se lit d'un trait : une soirée, deux jours tout au plus. Des livres importants peuvent se lire sur des mois – je n'en parlerai pas vite ! Les livres théoriques, les ouvrages de référence peuvent traîner sur ma table un certain temps... Les médias sont dans une énergie vive, c'est le galop du cheval plutôt que la marche tranquille du flâneur ; alors les livres denses, je me les garde pour « plus tard ». Un jour je les lirai, et cela ne m'empêchera pas d'en parler, mais bien évidemment, cela ne fera pas le bonheur des gens de la promotion !

Il faut ajouter, pour conclure, que je me sais privilégiée de recevoir tous ces « cadeaux » des éditeurs. J'ai connu de grands moments de bonheur et je prends conscience de ma chance. Elle se double d'une responsabilité sans complaisance, et je sais que c'est ce que mes lecteurs attendent de moi.

Annexe 1

Organismes de protection des auteurs

Au Québec : l'UNEQ et l'ANEL

1. L'UNEQ (union des écrivaines et des écrivains québécois) est un syndicat professionnel fondé le 21 mars 1977. Regroupant plus de 1 000 membres (poètes, romanciers, auteurs dramatiques, essayistes, auteurs pour jeunes publics, auteurs d'ouvrages scientifiques et pratiques).

   L'UNEQ a été accréditée en 1996 par le Tribunal canadien des relations professionnelles artistes-producteurs pour négocier, de façon exclusive, avec les producteurs relevant de la compétence fédérale, afin de conclure des accords-cadres qui définissent les conditions d'embauche des travailleurs professionnels autonomes du secteur littéraire.

   3492, avenue Laval, Montréal (Québec) Canada
   H2X 3C8
   514-849-8540 ou 1-888-849-8540
   Source : *www.uneq.qc.ca*

2. L'Anel (association nationale des éditeurs de livres) produit un répertoire de leurs membres. Pour chacun d'eux, une description permet de savoir quels genres d'ouvrages font partie de leur catalogue.

   L'Association poursuit les objectifs suivants:

   1. défendre la liberté d'expression et le droit d'auteur;
   2. contribuer à la promotion de la lecture et à l'utilisation du livre comme outil essentiel du développement de la personne;
   3. soutenir le développement d'une édition nationale de langue française et en favoriser la promotion et la diffusion;
   4. étudier et défendre les intérêts tant généraux que politiques et économiques de ses membres;
   5. étudier toute question relative à la profession et diffuser l'information auprès de ses membres;
   6. établir entre ses membres des rapports de confraternité.

      Source: *www.anel.qc.ca*

   2514, boulevard Rosemont
   Montréal (Québec)
   Canada
   H1Y 1K4
   (514) 273-8130
   (514) 273-9657
   info@anel.qc.ca

En France: SGDL

La Société des Gens de Lettres a été fondée en 1838 par des écrivains célèbres: Honoré de Balzac, Victor Hugo, Alexandre Dumas, George Sand. Elle a toujours défendu, au cours de l'évolution des techniques de production et de diffusion, le droit moral des écrivains, des auteurs de l'écrit.

La vocation de la Société des Gens de Lettres est la défense du droit moral, des intérêts patrimoniaux et du statut juridique et social de tous les auteurs de l'écrit, quel que soit le mode de diffusion de leur œuvre, quelles que soient les sociétés de perception et de répartition dont ils sont par ailleurs membres (SACEM, SACD, SCAM, CFC etc.).

Hôtel de Massa,
38, rue du Faubourg-Saint-Jacques
75014 Paris France
Sources : *www.sgdl.org*
www.anel.qc.ca
www.quebecedition.qc.ca

Annexe 2

Écrire ne fait pas vivre

L'Observatoire de la culture et des communications du Québec diffuse les résultats d'une enquête statistique

Québec, le 1er mai 2003 – À peine 9 % des écrivains du Québec comptent sur leurs droits d'auteur comme principale source de revenus. Pour la majorité des écrivains, c'est-à-dire 60 %, le travail rémunéré constitue la première source de revenus, tandis que 10 % d'entre eux ont comme principale source de revenus les bourses d'aide à la création et 9 %, les diverses prestations gouvernementales. C'est ce que révèle l'Institut de la statistique du Québec (ISQ) en rendant publics les premiers résultats de l'enquête, menée auprès des écrivaines et des écrivains du Québec, par l'Observatoire de la culture et des communications du Québec (OCCQ) à la demande de la Bibliothèque nationale du Québec (BNQ).

Différence entre les sexes

En outre, l'enquête démontre qu'il existe des différences significatives entre les revenus des écrivaines et ceux des écrivains. En effet, les revenus découlant des droits d'auteur représentent la principale source de revenus pour 13 % des écrivaines et 6 % des écrivains. De plus, selon l'enquête, la différence entre les revenus des hommes et des femmes est plus élevée chez les écrivains que dans l'ensemble de la population ayant gagné un revenu.

Polarisation des revenus

La distribution des revenus des écrivains se caractérise par leur plus grande polarisation. Ainsi, 40 % des écrivains ont gagné moins de 30 000 $ annuellement au cours des trois dernières années, tandis que 25 % d'entre eux ont gagné plus de 60 000 $ annuellement au cours de la même période. À titre de comparaison, cette dernière proportion n'est que de 10 % dans la population ayant gagné un revenu.

Autres résultats

Ces premiers résultats de l'enquête auprès des écrivaines et des écrivains du Québec sont publiés dans *Statistiques en bref*, bulletin statistique de l'OCCQ. On y dévoile également dans quels domaines les écrivains retirent des revenus de travail, comment leurs revenus se comparent à ceux de l'ensemble de la population ayant gagné un revenu et quel est le rapport entre le revenu et le nombre d'heures consacrées à l'écriture.

Qu'est-ce que l'Observatoire de la culture et des communications du Québec ?

L'Observatoire de la culture et des communications du Québec a été créé en partenariat par le Conseil des arts et des lettres du Québec (CALQ), le ministère de la

Culture et des Communications (MCC), la Société de développement des entreprises culturelles (SODEC) et l'Institut de la statistique du Québec (ISQ). L'OCCQ a pour mission de fournir un portrait statistique fiable, complet et évolutif de la culture et des communications au Québec.

Données sur Internet

On peut consulter ce numéro de Statistiques en bref sur le site Web.
http ://www.stat.gouv.qc.ca/salle-presse/communiq/2003/mai/mai0301a.htm

Sources:

Benoît Allaire, chargé de projet
Tél.: (418) 691-2414, poste 3170
Observatoire de la culture et des communications du Québec
Institut de la statistique du Québec

Centre d'information et de documentation (ISQ)
Tél.: (418) 691-2401
ou 1 800 463-4090
(sans frais d'appel au Canada et aux États-Unis)

Glossaire

Sources : *www.aracanada.org/references_glossaire_B_fr.html*
www.galaxiedion.com/home/glossaire/index.php

Bibliographie

Liste donnant l'ensemble des ouvrages publiés sur un sujet donné. Elle peut être sélective ou exhaustive, analytique ou critique, spécialisée, systématique ou encore rétrospective. Y sont indiqués les éléments suivants : nom de l'auteur, titre de l'ouvrage, lieu d'édition, nom de l'éditeur, année d'édition et nombre de pages.

Bouquin

Du flamand « bœckin » qui signifie « vieux livre sans valeur ». Employé aussi familièrement pour désigner un livre en général.

Caractères

Nom générique sous lequel est désigné l'ensemble des signes alphabétiques d'une langue. Il y en a de différents modèles et de différentes grosseurs: romaine, italiques, de fantaisie, gras, maigres, etc.

Contrefaçon

Reproduction frauduleuse d'une œuvre littéraire, d'un livre.

Copie

La copie est le texte manuscrit, dactylographié ou déjà imprimé, remis au compositeur pour le reproduire sous forme de composition typographique.

Copyright

Dans le cas des livres, cette mention se rapporte aux dispositions légales relatives au droit d'auteur. Cette mention signifie que les droits de l'auteur d'un texte écrit ou ceux de son éditeur, sont protégés ou leurs sont réservés. Ces droits exclusifs de publication pour une période de temps déterminée sont aussi appelés « propriété littéraire ».

Coquille

Faute résultant, dans la composition typographique, d'une lettre ou d'un signe retourné, transposé ou mis à la place d'un autre.

Dédicace

Hommage qu'un auteur fait de son œuvre à quelqu'un par une inscription imprimée en tête de l'ouvrage. Il peut s'agir également d'une formule manuscrite sur un livre, même non signée, pour en faire hommage à quelqu'un.

Dépôt légal

Obligation légale pour l'éditeur de remettre gratuitement à la Bibliothèque Nationale, pour chaque édition et dans les sept jours de leur publication, deux exemplaires de tout document qu'il publie.

Édition

Ensemble des exemplaires d'un même ouvrage caractérisé par l'identité du texte, de la composition typographique, de la mise en page, des illustrations et de la pagination. Une même édition peut avoir plusieurs tirages.

En-tête

Vignette placée au commencement d'un chapitre.

Épreuve

Les tout premiers tirages d'une œuvre imprimée

Errata

Liste des erreurs et des corrections à apporter à un ouvrage.

Folio

Feuillet d'un registre, d'un livre. Numéro de chaque page d'un livre.

Format

Forme et dimension d'un livre, souvent désignées par les termes : in-folio, in- quarto, in-octavo, etc., qui font référence au nombre de plis dans la feuille imprimée.

Index

Liste de mots-clés figurant normalement à la fin d'un volume. La nature des renseignements indiqués est variée : index des noms, des sujets, des matières, etc. On sait qu'il existe, à Rome, sous le nom de Congrégation de l'Index, une censure ecclésiastique qui interdit la lecture de certains livres.

Jaquette

Chemise de protection amovible d'un livre comprenant deux rabats repliés sur les contre plats de la couverture. Également conçue à des fins publicitaires.

Libraire

Anciennement on nommait libraire l'artisan et marchand qui imprimait et vendait des livres. Aujourd'hui on qualifie ce dernier de commerçant dont la profession est de vendre des livres au public.

Manuscrit

Document écrit à la main, dactylographié ou réalisé avec une imprimante. Originellement, le terme manuscrit ne désignait que l'ouvrage écrit à la main. De nos jours on a parfois recourt au mot tapuscrit pour désigner un manuscrit dactylographié.

Marge

Espace libre de texte en tête, au pied ou sur les côtés d'une page. On dit dans ces quatre cas: marge de tête, marge de pied, marge intérieure et marge extérieure.

Page

L'un des côtés d'une feuille de papier.

Pages liminaires

Pages placées au début d'un ouvrage, avant le texte. Elles ne sont généralement pas chiffrées. Elles comprennent la plupart du temps les gardes, le faux-titre, le titre, et la dédicace. Parfois, elles incluent la préface ou l'introduction, et une table des matières, lorsque celles-ci ne sont pas chiffrées ni paginées en chiffres romains.

Pilon (Mettre un livre au)

Action de détruire l'édition ou les exemplaires invendus.

Pirate (Édition)

Édition réalisée sans l'autorisation de l'auteur ou des titulaires du droit d'auteur. On parle aussi d'édition clandestine et de contrefaçon.

Préface

Texte préliminaire placé en tête d'un livre, contenant les explications que l'auteur a jugé nécessaire de donner.

Pseudonyme

Nom sous lequel certains auteurs publient leurs ouvrages ou sous lequel ils dissimulent leur véritable identité.

Recto

Première page d'une feuille; on parle aussi de « belle page ». La page de titre doit toujours être au recto de la feuille.

Réimpression

Nouveau tirage d'un volume pour lequel on a fait usage des mêmes plaques ou des mêmes clichés d'imprimerie. Certains éditeurs présentent des livres nouveaux qui ne sont en fait que des réimpressions en fac-similé.

Service de Presse

Livres réserves à la presse écrite à l'origine, mais diffusés à tous les médias par la suite. Généralement il comporte les initiales S.P. (service presse) en piqûres pointillées sur l'extérieur du livre. Ils sont recherchés par certains amateurs car ils font souvent partie de l'édition originale.

Signet

Petit ruban attaché à la tranchefile d'un livre et servant à marquer l'endroit où l'on a interrompu sa lecture. Par extension, morceau de papier marquant une page.

Tirage (Premier)

Cette mention indique que les figures illustrant le volume y paraissent pour la première fois

Titre

Inscription placée en tête d'un livre ou d'un chapitre et qui en indique le sujet.

Titre courant

Titre répété sur chaque feuillet d'un livre ou d'une brochure, dans la marge de tête ou la marge de pied. Certains titres courants ont parfois la forme d'un bandeau.

Typographie

Procédé d'impression sur formes en relief (caractères mobiles, gravures, clichés).

Verso

Seconde page d'une feuille. S'emploie aussi pour décrire les plats d'un livre ; plat recto ou plat avant, plat verso ou plat arrière.

Vignette

Petite gravure placée en tête ou à la fin d'un livre ou d'un chapitre.

Bibliographie

Livres :

BAUDOIN, Bernard. *Comment écrire votre premier livre,* Genève, Éditions d'Ambre, 2002.

BENICHOUX, R., J. MICHEL et D. PAJAUD. *Guide pratique de la communication scientifique : comment écrire, comment dire,* Paris, G. Lachurié, 1985.

BERTHELOT, Alain et Victor BOUADJIO. *Écrire et être édité : guide pratique,* Nantes, Éditions Écrire aujourd'hui, 1992.

BOBIN, Christian. *L'épuisement,* Éditions Le temps qu'il fait, 1994.

CAMEROUN, Julia. *The Artist's Way : A Spiritual Path to Higer Creativity,* dont la version française est *Libérer votre créativité,* Éditions Dangles, 1995.

COLLECTIF. *Le métier d'écrivain,* Montréal, Boréal, 1993.

CONQUET, André. *Comment écrire pour être lu et compris*, 3e éd., Paris, Le Centurion, 1977.

CYR, Marie-France. *Arrête de bouder*, Montréal, Éditions de L'Homme, 2001.

CYR, Marie-France. *La vérité sur le mensonge*, Montréal, Éditions de l'Homme, 2003.

CYRULNIK, Boris. *Les vilains petits canards*, Éditions Odile Jacob, 2001.

DOPPAGNE, Albert. *Guide pratique de la publication : de la pensée à l'imprimé*, Paris, Éditions Duculot, 1980.

DYER, Wayne. *Vos zones erronées*, Éditions Un monde différent, 1997.

FALTER-BARNS, Suzan. *How Much Joy Can You Stand ?*, dont la version française est *Qu'attendez-vous pour être heureux ?*, Éditions de l'Homme, 2004.

FERMINE, Maxence. *Neige*, Points/Seuil, no P804.

FLEURY, Marie-Josée et PRÉVOST, Francine. *Écrire : Labeur et plaisir*, Montréal, Québec Amérique, 2004.

FUENTES, Carlos. *Géographie du roman*, Paris, Éditions Arcades, Gallimard, 1997.

GRATTON, Nicole. *L'art de rêver*, Montréal, Éditions Stanké, 1994, Éditions J'ai lu, 1999, Québec, Éditions Flammarion, 2003.

HESSE, Jérôme. *Comment écrire un livre et être édité*, Éditions Alain Moreau, 1987.

LESCOP, Marguerite. *Le tour de ma vie à 80 ans*, Montréal, Éditions Lescop, 1996.

MONTÉCOT, Christiane. *Techniques de la communication écrite,* Eyrolles, Paris, 1990.

PATAR, Benoît. *Dictionnaire actuel de l'art d'écrire,* Montréal, Fidès, 1995.

PIGALLET, Philippe. *Écrire, mode d'emploi,* Paris, Nathan, 1989.

PINSON, Claire. *Vaincre la timidité,* Éditions de Vecchi, 2003.

REDFIELD, James. *La prophétie des Andes,* Éditions Robert Laffont, 1994.

RICHAUDEAU, Richard. *Écrire avec efficacité,* Paris, Albin Michel, 1992.

SARRAZIN, Nicolas. *Quatre saisons dans le bonheur.*

SELYE, Hans, *Stress sans détresse,* Éditions La Presse, 1974.

SIMARD, Jean-Paul. *Guide du savoir-écrire,* Montréal, Éditions de l'Homme, 1998.

TIBO, Gilles. *Le mangeur de pierres,* Montréal, Éditions Québec Amérique, 2001.

TIBO, Gilles. *Les parfums d'Élisabeth,* Montréal, Éditions Québec Amérique, 2002.

TIBO, Gilles. *Noémie, le secret de madame Lumbago,* Montréal, Éditions Québec Amérique, 1996.

TISSEYRE, Pierre. *L'Art d'écrire,* Montréal, Pierre Tisseyre, 1993.

TOLLE, Eckhart. *Le pouvoir du moment présent,* Éditions Ariane, 2000.

Revue :

O'BRIEN, Edna. *Libération,* Titre de l'article, 21 juin 2001.

Les auteures

MARILOU BROUSSEAU

Marilou Brousseau est écrivaine, journaliste et animatrice à la radio. Pendant plus de seize ans, elle a été successivement animatrice et nouvelliste aux postes de radio C.J.E.N à Saint-Jérôme, C.F.L.V à Valleyfield, et elle a assumé le poste d'assistante à la réalisation à la Société Radio-Canada de Vancouver. Elle a été rédactrice en chef du journal *Le Soleil de Colombie-Britannique* et des magazines *Feux Verts* et *Le Goéland* à Montréal. Depuis plusieurs années, elle anime tous les mardis soir, de 19h30 à 20h30, l'émission *Chemins d'intériorité* (en rediffusion à 5 h le matin) à l'antenne de Radio Ville-Marie, au 91,3 FM-Montréal. L'émission est également diffusée aux mêmes heures sur d'autres réseaux en province.

Marilou a fondé, à Montréal, le centre d'écriture Maril'Eau et elle offre des ateliers d'écriture aux jeunes et aux adultes. Elle est membre de l'Union des écrivaines et écrivains du Québec (UNEQ) et de l'Association des

Pilotes de Brousse du Québec (APBQ) en plus d'être marraine de la rivière Pikauba (Fondation Rivières).

Auteure de neuf livres (dont quelques-uns écrits en collaboration), l'un d'eux fut finaliste au Prix Odyssée 2001. Outre le Québec, ses livres sont distribués en France, en Belgique, en Suisse et aux États-Unis.

Pour la rejoindre, vous pouvez contacter l'éditeur ou écrire à l'une des adresses suivantes:

Marilou Brousseau
C.P 44577 C.S.P. Barclay
Montréal (Québec), Canada H3S 2W6
mariloubrousseau@sympatico.ca
www.mariloubrousseau.com

NICOLE GRATTON

Nicole Gratton possède un diplôme d'études collégiales en médecine nucléaire. Elle a pratiqué en milieu hospitalier pendant de nombreuses années. Conférencière internationale, elle est auteure de 12 ouvrages publiés au Canada et en Europe dont deux sont traduits en italien.

Nicole Gratton est fondatrice et directrice de l'*École de Rêves Nicole Gratton*, un centre de formation qui présente des ateliers, des conférences et des consultations concernant l'analyse des rêves. Elle forme des animateurs certifiés qui offrent ses ateliers dans plusieurs régions du Québec et en Europe. Des cours par correspondance et en téléformation sont maintenant disponibles.

Pour obtenir des informations concernant les prochaines activités ou la liste des animateurs certifiés, vous pouvez faire parvenir votre demande aux adresses suivantes:

Nicole Gratton
C.P. 22, Succ. Saint-Michel, Montréal (Québec) Canada,
H2A 3L8
info@nicole-gratton.com
www.nicole-gratton.com

Livres publiés:

Les secrets de la vitalité, Flammarion Québec
L'Art de rêver, Flammarion Québec
Les rêves, messagers de la nuit, Éditions de l'Homme
Mon journal de rêves, Éditions de l'Homme
Rêves et Symboles, Éditions Le Dauphin Blanc
Rêves et Spiritualité, Éditions Le Dauphin Blanc
Le sommeil idéal, Éditions Un monde différent
La découverte par le rêve, Éditions Un monde différent
Vos rêves d'amour, Éditions Dangles
Découvrez votre mission personnelle, Éditions Un monde différent
Mon enfant fait des cauchemars, Éditions Alexandre Stanké
Rêves et Complices, Éditions Coffragants

ATELIER D'ÉCRITURE

Centre d'écriture Maril'Eau
Avec Marilou Brousseau et Nicole Gratton

Objectifs :

- ❑ démystifier le monde de l'écriture ;
- ❑ identifier des objectifs personnels ;
- ❑ apprivoiser des techniques utiles et simples ;
- ❑ connaître des outils essentiels pour faciliter le processus de création ;
- ❑ créer l'espace physique et émotionnel pour amorcer un projet d'écriture.

L'écriture est comme le vent. Elle prend vie dans l'invisible et se manifeste concrètement sur une feuille de papier vierge. Mon objectif est de vous aider à découvrir le souffle premier de votre future œuvre...

Marilou Brousseau

Mon but est de vous communiquer ma passion de l'écriture et de mettre mon expérience à votre disposition tout en travaillant avec la loi du moindre effort.

Nicole Gratton

Pour information :

Centre d'écriture Maril'Eau
C.P 44577, C.S.P. Barclay
Montréal (Québec), Canada, H3S 2W6
mariloubrousseau@sympatico.ca

POUR BIEN ÉCRIRE

Millicent

Pour bien écrire, il faut d'abord
Avoir dans le cœur et dans l'âme
Une chaude et constante flamme
Qui monte et brille sans effort
Comme le soleil dans la nue.
Il faut la sentir palpiter,
Toujours jeune et toujours nouvelle,
Comme l'eau qui se renouvelle
Aux pentes des ruisseaux, l'été,
En chantant sa gamme ingénue.

Pour bien écrire, il faut aussi
Un goût sûr et l'œil d'un cerbère,
Avec un fort vocabulaire
Et des termes toujours choisis.
Il faut que la plume ait des ailes
Et qu'elle joue avec les mots,
Les plaçant avec à-propos,
D'une façon souple et nouvelle.
Car enfin, la forme est au fond
Ce qu'est à l'ombre le rayon.

Pour bien écrire, il faut encore
Loin du monde se recueillir
Pour méditer et réfléchir,
Car une œuvre ne s'élabore
Que dans le silence et la paix.
Il faut aux ferments de l'étude

Le calme de la solitude,
Comme à la vertu le secret
Et comme à l'abeille féconde
L'ombre de sa ruche profonde.

Du goût, de l'âme et de l'esprit,
Voilà ce qu'il faut pour écrire.
Mais cela seul ne peut suffire
Quoi qu'en disent les érudits.
Si l'on n'a pas la connaissance
Et la profonde expérience
De la vie et du cœur humain,
On est médiocre écrivain.
J'ai lu quelque part, dans un livre,
Qu'avant d'écrire, il faudrait vivre.

Marquis imprimeur inc.

Québec, Canada
2010